DEUTSCHE · REICHSBAHN

REICHSBAHN-ALBUM

1 Blick aus dem Führer-
stand einer P 8-Perso-
nenzuglokomotive.

ALFRED B. GOTTWALDT

REICHSBAHN-ALBUM

500 Bilder der deutschen Eisenbahn
zwischen 1920 und 1940

MOTORBUCH VERLAG STUTTGART

Einband und Schutzumschlag: Siegfried Horn

Für A. F.

ISBN 3-87943-434-4

3. Auflage 1978
Copyright © by Motorbuch Verlag, 7000 Stuttgart 1, Postfach 1370
Eine Abteilung des Buch- und Verlagshauses Paul Pietsch GmbH & Co. KG.
Sämtliche Rechte der Verbreitung – in jeglicher Form und Technik – sind vorbehalten.
Satz und Druck: Süddeutsche Verlagsanstalt und Druckerei GmbH., 7140 Ludwigsburg
Bindung: IDUPA GmbH, 7311 Owen/Teck.
Printed in Germany.

Reichsbahn-Album

Die Reichsbahnzeit – das waren jene Jahre nach 1920, als es Aufgabe des Reiches geworden war, gemäß Artikel 89 der Weimarer Verfassung »die dem allgemeinen Verkehr dienenden Eisenbahnen in sein Eigentum zu übernehmen und als einheitliche Verkehrsanstalt zu verwalten«. Reichsbahnzeit, das war die Eisenbahn in den so legendären wie politisch düsteren zwei Jahrzehnten zwischen den beiden Weltkriegen, war eine Epoche letzter Blüte für die Dampflokomotive, gar für die Eisenbahn überhaupt, als um 1935 auf 53 900 Streckenkilometern etwa 23 000 Triebfahrzeuge und 675 000 Waggons verkehrten, als 653 000 Menschen beim größten Unternehmen der Welt arbeiteten. Reichsbahnzeit, das ist heute ein Wort der leicht verklärten Erinnerung für die älteren, ein gewissermaßen sagenumwobenes Kapitel Eisenbahngeschichte für die jüngeren Leser, und in den Köpfen stellen sich Bilder vom »Fliegenden Hamburger« und der Borsig-Stromlinienlok, von nagelneuen Einheitslokomotiven vor preußischen Wagen, von den schweren Schnellzügen der zwanziger und dreißiger Jahre ein, von beschaulichen Bähnchen auch auf heute längst stillgelegten Strecken, und mancher wünschte sich, diese Dinge noch einmal tatsächlich vor Augen zu haben.

Mit den folgenden Blättern soll nun der Versuch unternommen werden, den einen mit Fotografien aus längst vergangenen Tagen etwas von dem wieder zugänglich zu machen, was allein in Gedanken noch vorhanden war, den anderen aber zu zeigen: Seht, so waren sie, die alten Züge und Bahnhöfe, so spielten sie ihre Rollen in den verschiedenen deutschen Landschaften und Städten, bevor mit dem Krieg begonnen wurde.

Der Titel: Album sagt schon, daß hier gleich einem fotografischen Reisebericht die Bilder nach den einzelnen Regionen des Landes eingeordnet wurden, daß der begleitende Text sich auf kurze, sachliche Anmerkungen zu den Abbildungen beschränkt, nur am Beginn der Kapitel um etwas farbigere Worte erweitert, und daß schließlich die Schwerpunkte auch eher in den Feriengebieten als in Berlin oder den Industrierevieren zu finden sind. Über die Technik der Reichsbahnlokomotiven, über die Entwicklungen des Verkehrs in den zwanziger und dreißiger Jahren, kurz: über die vielen geschichtlichen Einzelheiten der Zeit, in der unsere Bilder entstanden sind, und die erst ihr volles Verständnis ermöglichen, glauben wir den Leser nach den vielfältigen Veröffentlichungen der jüngeren Vergangenheit und auch aus eigenem Erleben hinreichend orientiert, so daß höchstens noch ein altes Kursbuch und eine Streckenkarte – die es in Nachdrucken heute wieder gibt – als Hilfsmittel bei der Lektüre vonnöten sein werden, gar noch den Genuß beim Durchblättern des Albums steigern können. Eine Reihe typischer Bilder, die ganz unabhängig von einem bestimmten Ort für die Reichsbahnzeit stehen können, rahmen diese Sammlung ein, bereiten die lange Reise vor und lassen sie wieder ausklingen.

Man wird über die Zusammenstellung und die Auswahl der Fotografien streiten können, diese Landschaft fehlt vielleicht, jene Lokomotive mag zu häufig vertreten sein – ein Album ist etwas subjektives, Ausdruck persönlicher Vorliebe und Erfahrungen, abhängig auch davon, welche Aufnahmen die Zeitläufte überstanden und noch den Weg in diese Galerie der technischen Lichtbildwerke gefunden haben. Es sind dies in erster Linie die Fotografien der Bildagentur Dr. Wolff & Tritschler in Frankfurt am Main, die – wie auch Max Göllner – damals für die Reichsbahn selbst arbeitete, sodann die im Verkehrsmuseum Nürnberg und in der Sammlung von Heinz Worm geborgenen Kostbarkeiten von Werner Hubert und Rudolf Kreutzer. Ihre Bilder gehörten mit denen von Bellingrodt, Kallmünzer und Maey zum Grundstock eines Verkehrszentralamts bei der Technischen Hochschule Darmstadt, das später in der Reichsbahn-Filmstelle zu Berlin aufging; den Stempel dieser beiden Institutionen tragen viele alte Eisenbahn-Postkarten auf ihrer Rückseite. Aus den privaten Alben der Herren H. Bergmann, D. A. Braitmaier, K. Buchholz, F. Eschen, K. Ewald, H. J. Feißel, A. Giesl-Gieslingen, H. Hartz, Fr. Herrmann, E. H. von Kirchbach, E. Köditz, F. Kruckenberg, N. Lindemann, O. Maixner, H. Mündler, R. Roosen, Th. Schlosser, U. Schwanck, H. Troche, W. Ulma, A. Ulmer und F. Weyer, aus den Beständen der Deutschen Bundesbahn, des Bundesarchivs, des Bildarchivs Preußischer Kulturbesitz, der Bilderdienste Süddeutscher Verlag und Ullstein, schließlich auch aus den historischen Unterlagen der Firmen Allgemeine Elektrizitäts-Gesellschaft, Maschinenfabrik Augsburg-Nürnberg (Nürnberg und Gustavsburg), Motoren-Turbinen Union, Rheinstahl Transporttechnik, Siemens (Berlin, Erlangen und München), Voegele und Voith, wurden die hier zusammengestellten Aufnahmen bereitwillig beigesteuert; ihnen gilt der Dank des Herausgebers wie der Leser, konnte doch nur auf solchem Weg ein allen gemeinsames Reichsbahn-Album wie dieses entstehen. A. G.

2 Auf der Steigung zwi-
schen Probstzella und
Ludwigsstadt: P 8 und
S 3/6 vor dem D 40
Berlin–München bei
Burg Lauenstein im
Frankenwald, um
1934. Hinten am Zug
noch eine Schiebelok.

6

3 Preußische S 10¹ und
BR 01 vor schwerem
Schnellzug in Witten-
berg. Die Lokomotive
17 1177 gehörte zum
Betriebswerk Berlin
Anhalter Bahnhof.
Zwei bekannte Werbe-
karten der Reichsbahn.

Reiseeindrücke

Typische Eindrücke von Reisen mit der Reichsbahn, die charakteristischen Requisiten eines jeden Bahnhofs, ganz
alltägliche Szenen und Gegenstände sollen am Beginn der Bildfolge stehen, sollen Beobachtungen wiedergeben, die nicht an
bestimmte Städte oder Landschaften gebunden waren, sollen auf gewisse Menschen und Dinge das Augenmerk lenken, die
später immer wieder neben den Zügen und Lokomotiven auftauchen, ohne daß wir uns ihrer Bedeutung stets bewußt sind:
Läutewerke und Telegrafenstangen, Zeitungswagen und Gepäckkarren, Würstelverkäufer und der Mann mit der Kelle,
Schlafwagenschaffner und der Ober im Speisewagen, Signale und Schrankenbäume, die Holzbänke auf dem Perron und im
Abteil, schließlich die ganz eigene Stimmung nächtlicher Bahnhöfe, wenn eine Dampflok am Bahnsteig stand.

4 Typisch für die
Schnellzüge des Mit-
telgebirges: Die Loko-
motivgattung P 10.

5 Bahnsteigszene im
Hessischen.

6 Requisit aller größeren
Bahnhöfe: der Litera-
turkarren.

7/8 Heiße Würstchen,
als Reiseproviant un-
entbehrlich. Die drei
Bilder dieser Doppel-
seite wurden an der
Rheinstrecke aufge-
nommen.

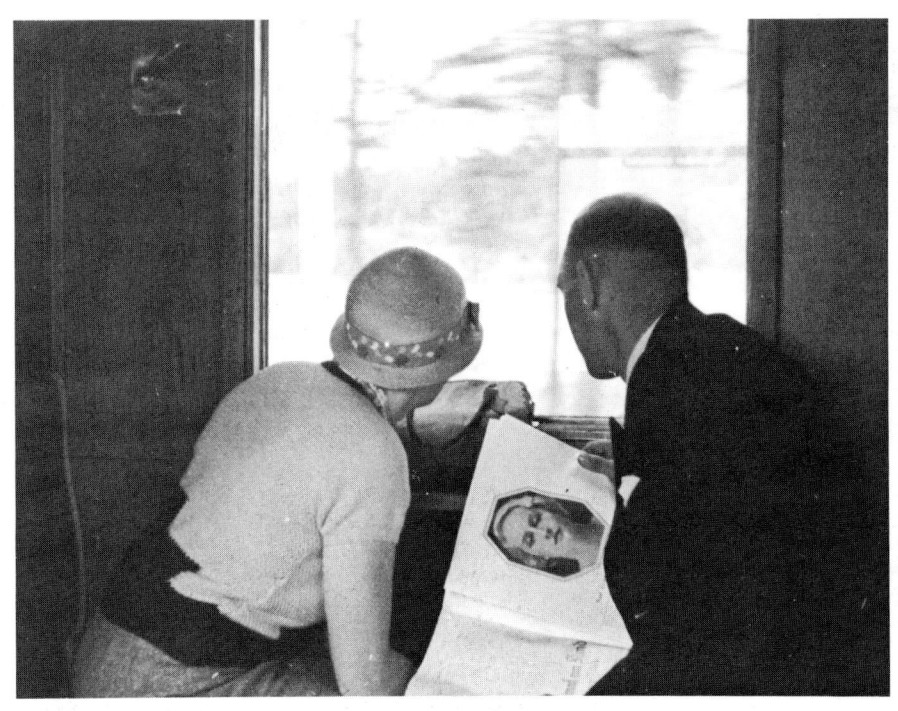 

9   Der kleine Ausflug.
    Holzbänke im Abteil
    3. Klasse.

10 Der Aufsichtsbeamte
    auf einer kleinen Sta-
    tion in Nordhessen.

11 Im Speisewagen der
    Mitropa, Mitte der
    dreißiger Jahre.

12 Nachtexpreß vor der
   Abfahrt. Lokomotive
   01 020 vom Betriebs-
   werk Anhalter
   Bahnhof.

13 Nächtliche Prüfung
   des Triebwerks an der
   P 8-Lokomotive
   38 2766. Vor der Ab-
   fahrt des Personen-
   zugs Düsseldorf–
   Krefeld im Jahre
   1938.

14 »Betten frei« – ein
neues Anzeigeschild
der Mitropa an ihren
Schlafwagen, 1932.

15 Lokomotive 17 1177
auf dem nächtlichen
Anhalter Bahnhof in
Berlin.

16 Abschiedsszene am Schlafwagen. Aus einer Werbeserie der Mitropa.

17 Die berühmten Mitropa-Reisekissen.

18 Preußische S 10-Schnellzuglokomotive vor der Abfahrt in Frankfurt/Main.

Reichsbahn-Lokomotiven

![Reichsbahn-Lokomotive]

1920 übernahm die Reichsbahn von den einzelnen Ländereisenbahnen über 31 000 Lokomotiven in fast dreihundert Typen. Bis 1924 dauerte es, ehe durch Neubeschaffungen bewährter Länderbahnbauarten – diese auch als Ersatz für die Reparationsabgaben nach dem Versailler Vertrag – und durch die Ausmusterung vieler älterer Modelle der Maschinenpark eine endgültige Form erhalten hatte, bei der man mit der Umzeichnung aller vorhandenen Lokomotiven beginnen konnte. Zuvor hatten die Maschinen noch ihre Länderbahn-Nummern getragen, und das alte Hoheitszeichen war entfernt worden. 1922 war ein vorläufiger Nummernplan erschienen, nach dem auch einige Lieferungen bezeichnet wurden, doch erst mit der Entstehung der Einheitslokomotiven kam das dann bis 1966 gültige System auf. 1924 in Seddin und 1935 in Nürnberg wurden die jeweils jüngsten Konstruktionen in Ausstellungen der Öffentlichkeit gezeigt.

19 Vor einem Personenzug in Lehrte am 17. Juli 1922: die preußische P 3^2 Hannover 1671, ab 1887 gebaut.

20 Personenzug Hamburg–Frankfurt/Main im Hannoverschen. Es führt eine preußische S 5, Aufnahme 1922.

21 Die nagelneue XX HV-Lok Sachsen 213 vor dem Schnellzug D 43 Basel–Berlin in Bebra, Aufnahme 1923.

16,5 cbm Wasser
7 t Kohle
LUFTDRUCKBREMSE
KNORR mit Z. u. G-P

33 2279

G 455 LUFTDRUCKBREMSE KNORR mit Z. u. G-P

HANOMAG HANNOVER-LINDEN

22   Eine Lokomotivan-
schrift nach dem vor-
läufigen Nummern-
plan: Es ist die spätere
57 3279 der preußi-
schen Gattung G 10,
von der Hanomag
1922 geliefert.

23   Auch die erste Steil-
streckenlok der Gat-
tung T 20, hier 1922
auf der Schiebebühne
bei Borsig, kam als
77 001 in Betrieb und
wurde ein Jahr später
zur 95 001.

24   Die spätere 95 008 als
77 008 im Betriebs-
werk.

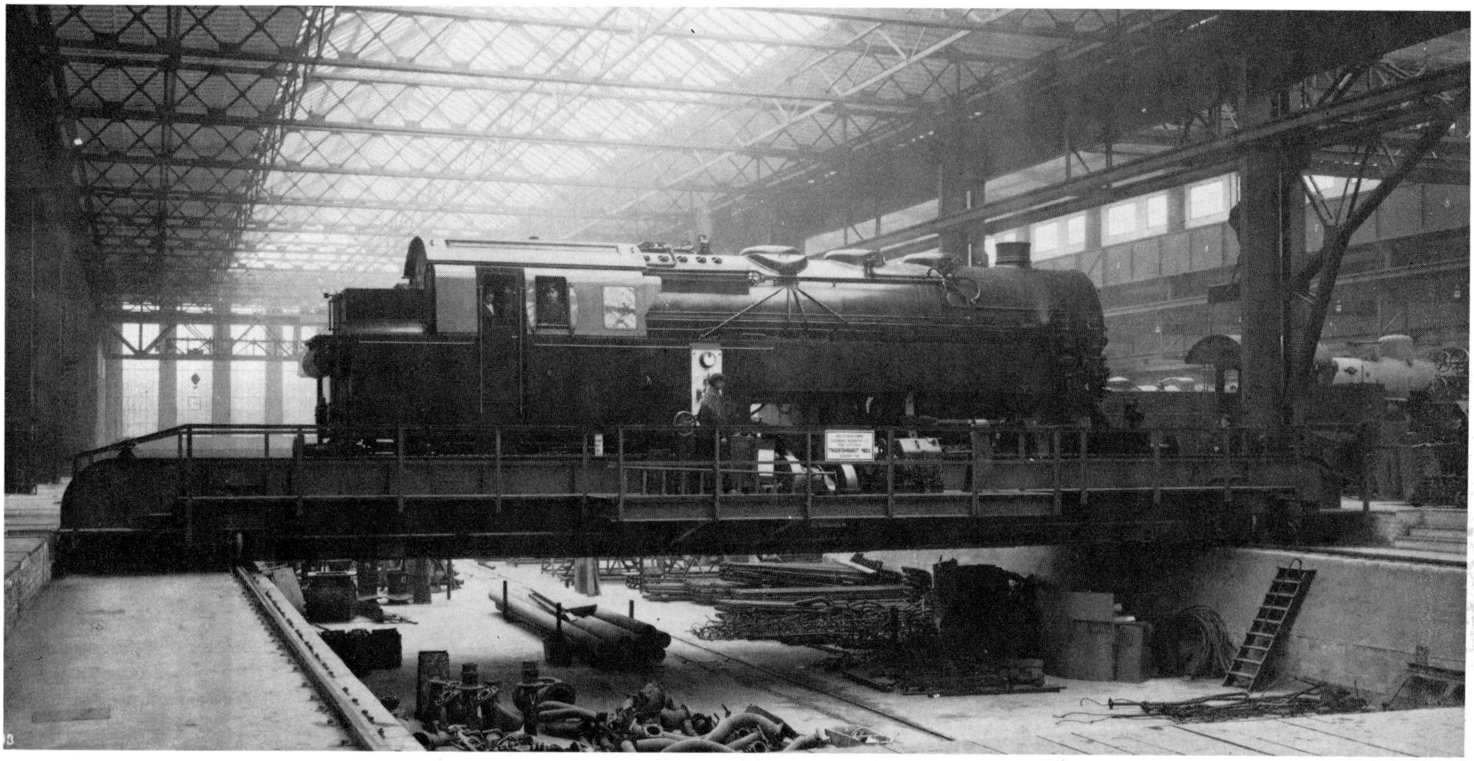

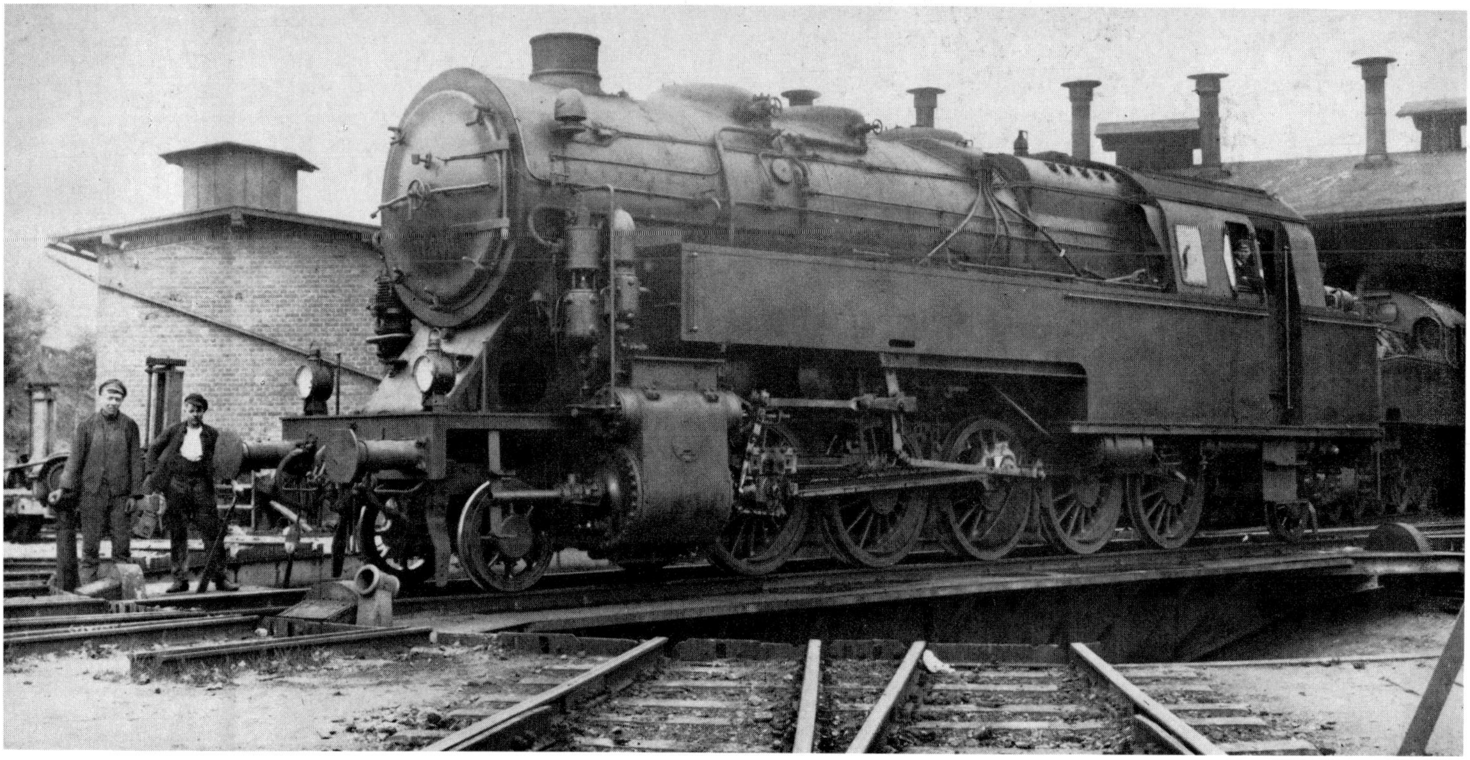

25 Führerstand der Hanomag-T 20 mit Gegendruckbremse.

26 Die Steilrampenlokomotive 95 001 von Bild 23, inzwischen mit Vorwärmer ausgestattet, im Betriebsdienst.

27 Eisenbahntechnische Ausstellung auf dem Verschiebebahnhof Seddin bei Berlin, Herbst 1924. Rechts eine Henschel-Mallet-Lokomotive für Rio Grande do Sul, dahinter ein Hawa-Wagen für Holland. Links die P 10-Lokomotive 39 191.

28 Aus der jüngsten Lieferung der preußischen Tenderlokgattung T 18 stammte die 1924 bei Vulcan in Stettin gebaute Maschine 78 509, die in Seddin zu sehen war.

29 Die elektrische Schnellzuglokomotive ES 51 Halle wurde in Seddin erstmals gezeigt. Es ist die spätere E 06 01.

30 Gleichfalls in Seddin
ausgestellt war die
von der AEG im
Jahre 1924 erbaute
G 8²-Güterzugloko-
motive 56 2900. Willy
Herrmann hat die
Farbzeichnung nach
einem Bild von dieser
Schau angefertigt.

31 Reichsbahn-Ausstel-
lung Nürnberg 1935:
Neben den Hallen
wurden die Einheits-
lok 01 146 mit Ran-
gierfunk und der
Triebwagen
VT 135 008 mit Zug-
beeinflussung (rechts)
im Betriebe vorge-
führt.

32 Schnellfahrlokomoti-
ve 05 001 in den
Nürnberger Ausstel-
lungshallen 1935.

Reichsbahn-Schnellverkehr

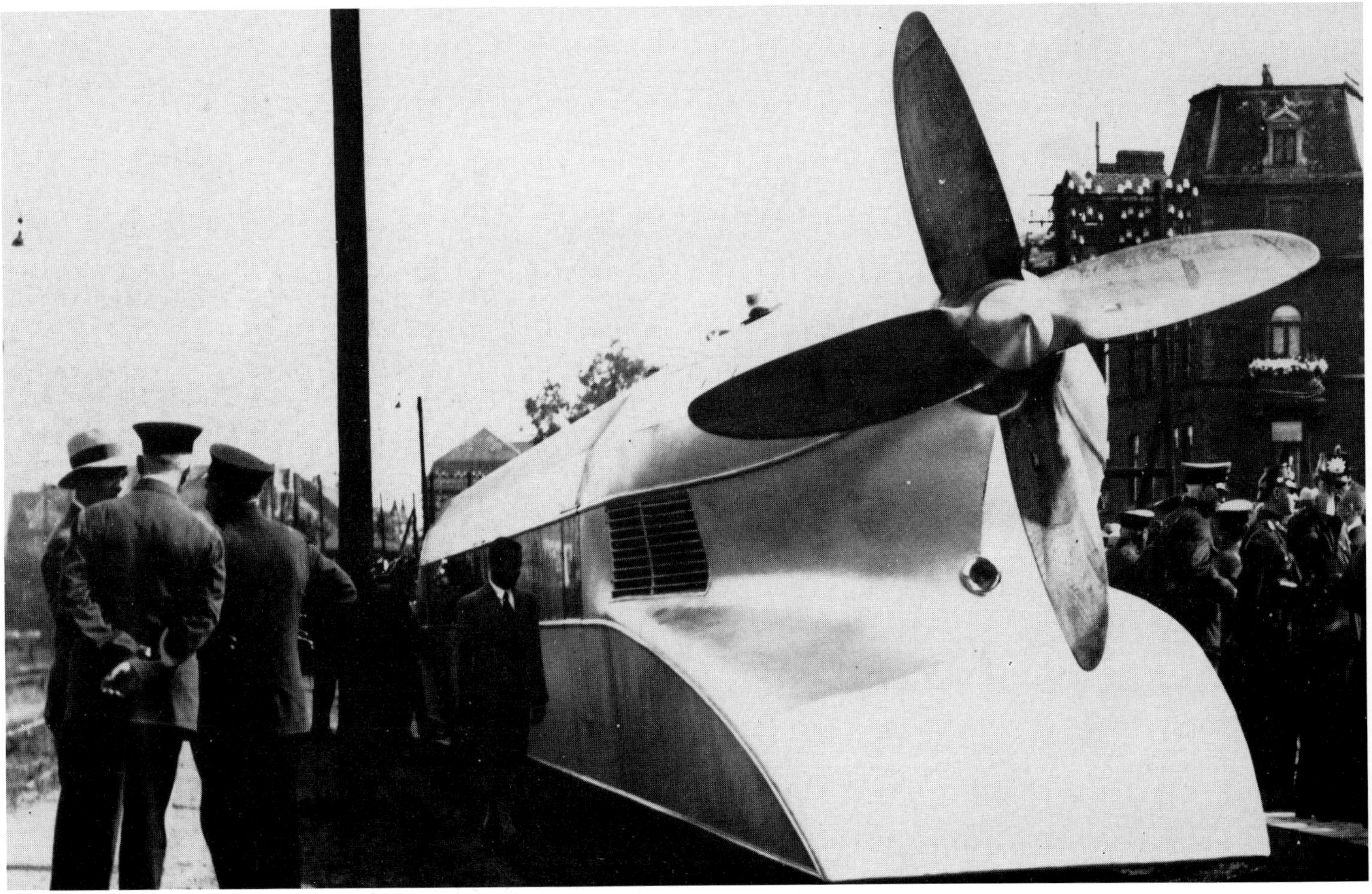

Schnelltriebwagen – wie ein Zauberwort ging dieser Begriff zu Beginn der dreißiger Jahre bei der Reichsbahn um, als der Wettbewerb durch den Kraftwagen zum Aufbau besonders rascher Fernverbindungen zwang. 1930 hatte Kruckenberg seinen »Schienenzeppelin« fertiggestellt, 1932 wurde der »Fliegende Hamburger« für den Verkehr zwischen Berlin und der Hansestadt geliefert. 1935, zur Hundertjahrfeier der Eisenbahn, erschienen die Borsig-Stromlinienlokomotive, Diesel-Schnelltriebwagen der Typen »Hamburg« und »Leipzig«, der Henschel-Wegmann-Zug und ein elektrischer Schnelltriebwagen auf den Schienensträngen, mit denen ein besonderes Schnellverkehrsnetz gebildet wurde. Am Vorabend des Zweiten Weltkriegs folgten die »Köln«-Triebwagen und die stromlinienverkleideten Dampflokomotiv-Baureihen 06, 01^{10} und 03^{10}, auch die Ellok E 19, doch die große Zeit dieser Fahrzeuge war bald vorüber.

33 Der Kruckenberg-
Propellerwagen
»Schienenzeppelin«
in Hannover, Mai
1931.

34 Der Reichsbahn-
Schnelltriebwagen
»Fliegender Hambur-
ger« bei seiner ersten
Pressefahrt im De-
zember 1932. Die 286
Kilometer zwischen
Berlin und Hamburg
wurden in 2 Stunden
21 Minuten zurück-
gelegt.

35 Im Fahrgastraum des
»Fliegenden Ham-
burger«. Mitropa-
Personal und Ehren-
gäste der Pressefahrt.

36 Führerstand des
   Schnelltriebwagens
   877.

37 Mitropa-Anrichte im
   »Fliegenden Ham-
   burger«.

38 Ablieferung der
   Stromlinienlokomo-
   tive 05 001 im März
   1935 aus dem Borsig-
   werk in Tegel.

39 Im Jahre 1937 wurde
   in Hennigsdorf die
   Schnellfahrlok 05 003
   mit Kohlenstaubfeue-
   rung und Frontfüh-
   rerstand der Reichs-
   bahn übergeben.

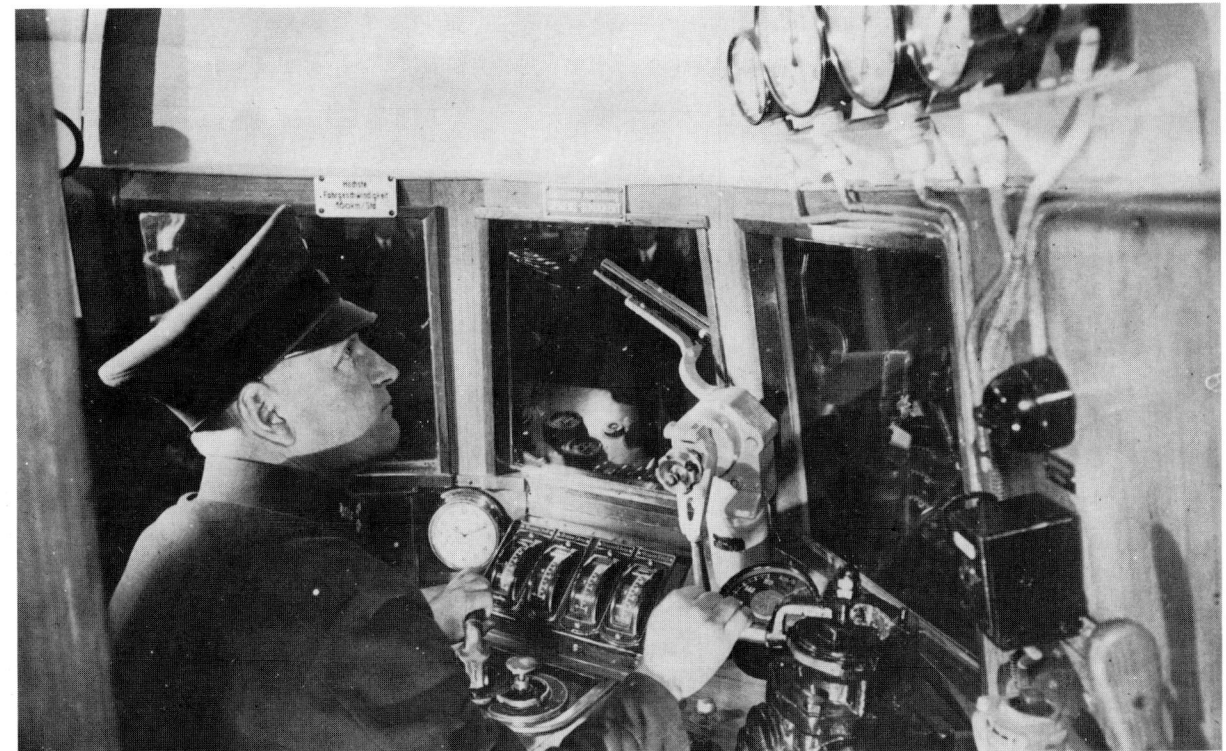

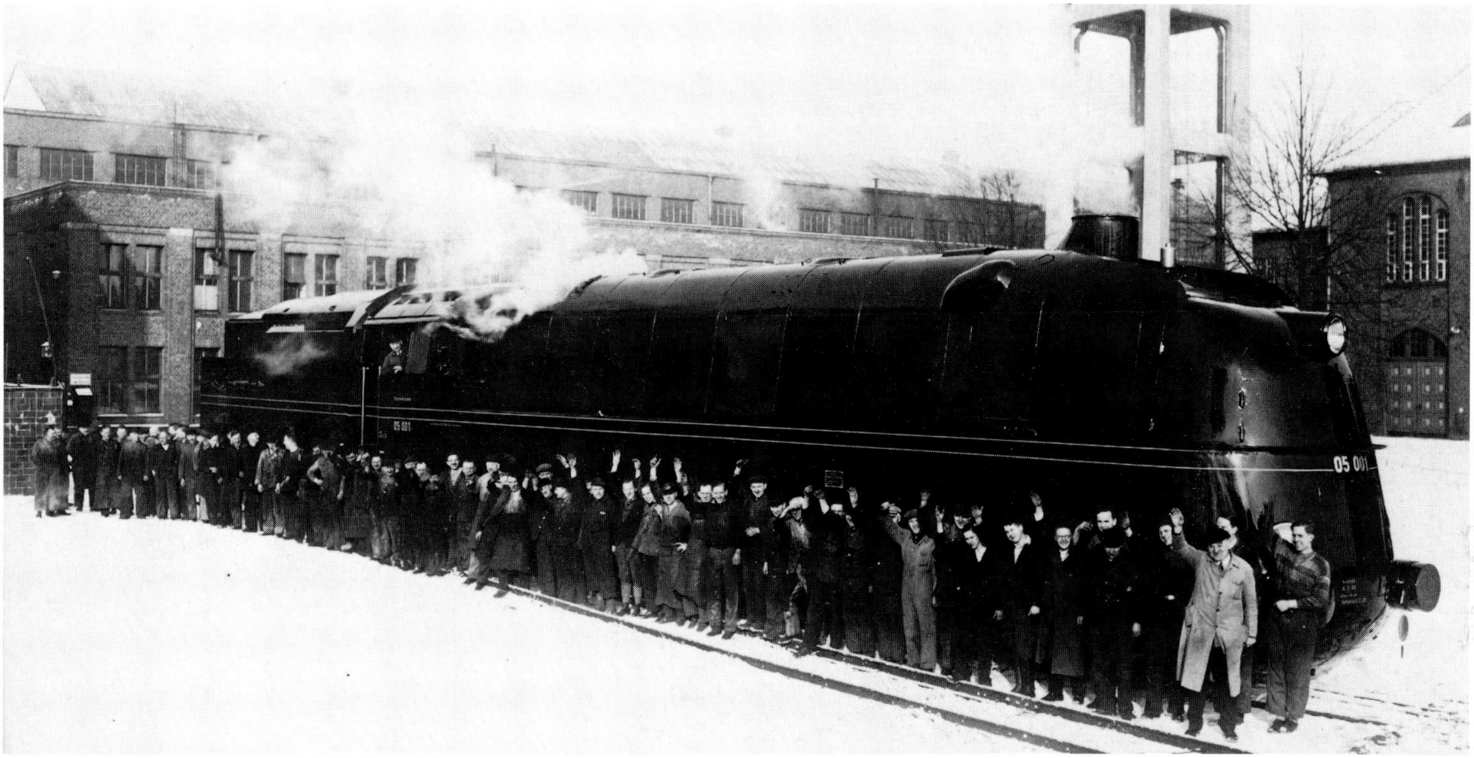
05 001

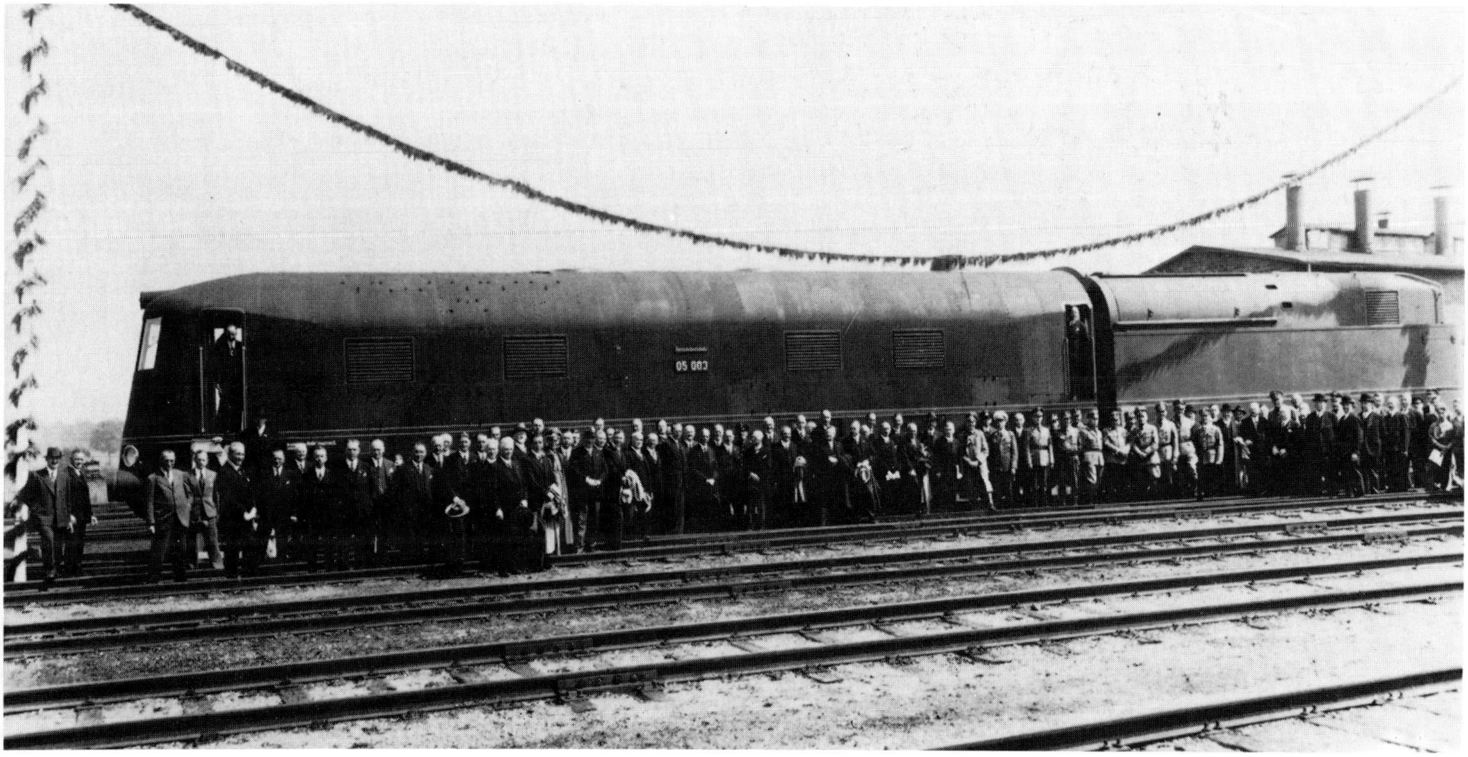
05 003

40 Der Schnelltrieb-
wagen »Fliegender
Frankfurter« bei der
Ankunft auf dem
Anhalter Bahnhof
in Berlin, wieder bei
einer Pressefahrt am
12. August 1935
aufgenommen.

41 Am 25. Februar 1936
führte die Reichsbahn
eine Pressefahrt zur
Vorstellung neuer
Schnellverkehrsmittel
von Berlin nach
Hamburg und zurück
durch. Lokomotive
05 002 vor dem Son-
derzug in Hamburg.

35

42 Bei der Pressefahrt auf Bahnhof Wittenberge. Als dritten von rechts sehen wir Georg Heise, Oberingenieur bei Henschel und Konstrukteur der Lokomotive 61 001.

36

43 Stromlinien-Tender-
lokomotive 61 001
beim Wassernehmen
während der Presse-
fahrt.

44 Reporter in seiner der
hohen Geschwindig-
keit für angemessen
befundenen Kleidung
auf dem Führerstand
der 61 001.

45 Ablieferung der ersten verkleideten Schnellzuglokomotive der Reihe 03¹⁰ bei Borsig in Hennigsdorf, Juli 1939. Siebenter von rechts: Dampflokomotiv-Bauartdezernent im Reichsbahn-Zentralamt Berlin, Richard Paul Wagner.

46 Gleichfalls im Juli 1939 stellte Schwartzkopff in Wildau die erste Maschine der Reihe 01¹⁰ vor, umgeben von Konstrukteuren.

40

49 Die große, vierfach gekuppelte Schnellzuglokomotive 06 001, Krupp-Fabriknummer 2000, auf dem Werksgelände in Essen

50 Zur Eröffnung des elektrischen Betriebes über den Thüringer Wald zwischen Nürnberg und Saalfeld setzte die Reichsbahn am 13. Mai 1939 die Lokomotive E 19 01 ein. Aufnahme in Saalfeld.

Die Güterzüge

Ihr Ansehen stand bei Freunden der Eisenbahn nicht selten im Schatten der renommierten Schnellzüge und der internationalen Expreßverbindungen: die kleinen und großen Güterzüge, durch die etwa zwei Drittel aller Einnahmen der Reichsbahn aufkamen, erfuhren in den zwanziger und dreißiger Jahren ebenso bedeutsame Wandlungen wie der Personenverkehr. Mit dem Übergang zum Achsdruck bis 20 Tonnen wurde der Bau von Großgüterwagen sinnvoll, auch die Tragfähigkeit der normalen Waggons ließ sich erhöhen, und schließlich gestattete die allgemeine Einführung der durchgehenden Güterzugbremse die Bildung längerer Züge und eine optimale Ausnutzung der neuen Lokomotiven.

51 Krupp-Großraumgü-
terwagen und offene
Güterwagen üblicher
Bauart bei der Koh-
lenverladung im
Ruhrgebiet.

52 Die Ganzzüge aus
Großgüterwagen
wurden auch mit der
automatischen Schar-
fenberg-Kupplung
ausgerüstet.

53/54 Heizer und Loko-
motivführer auf der
Güterzuglok 43 013
des Betriebswerks

Chemnitz-Hilbers-
dorf, 1930 aufge-
nommen.

55 Schwere Güterzuglo-
komotive 43 011 im
Mittelgebirge.

56 Für den schnellen
Stückgutverkehr
setzte die Reichsbahn
besondere »Leig-Ein-
heiten« aus kurzge-
kuppelten Güterwa-
gen ein, in denen auch
während der Fahrt
gearbeitet werden
konnte.

57 Der typische Ver-
schlagwagen mit
Tonnendach, 1927
gebaut.

58 Blick in eine Stück-
    gut-Güterumladehal-
    le der Reichsbahn.

Culemeyer-Straßen-
roller für den Haus-
Haus-Verkehr kamen
um 1934 auf. Beför-
derung zum Lager
von »Kaiser's Kaffee«
in Viersen.

61 Güterabfertigung auf
    Bahnhof Ansbach,
    Sommer 1935.

62 Verladen von Brotbe-
hältern in den
Frühzug.

63 Kesselwagentrans-
port auf einem Stra-
ßenroller im Ruhrge-
biet.

64 Dieser Reichsbahn-
    Tiefladewagen, der
    1930 Maschinenteile
    befördert, hat in frü-
    heren Jahren zum
    Transport der Schiffs-
    kanonen von Krupp
    an die Werften der
    Marine gedient.

Im Bahnbetriebswerk

Die Bahnbetriebswerke waren mehr noch als die Bahnhöfe der Inhalt zahlloser Jungenträume, wenn es um Eisenbahnen und Lokomotiven ging. Hier war der Zutritt für Unbefugte streng verboten, rußgeschwärzte Bretterzäune schirmten die Betriebsanlagen um Wasserturm, Kohlenkran, Schlackengrube, Drehscheibe und Schuppen nach außen hin ab, oft auch lag das Betriebswerk inmitten der Streckengleise selbst, so daß uns manches Wissen um die hinter seinen Mauern arbeitenden Eisenbahner fehlt. Rost und Aschkasten ausräumen, Lösche aus der Rauchkammer schaufeln, den Kessel auswaschen, auch die Pflege der Lager und kleinere Reparaturen durchführen, schließlich den Kessel frisch anheizen, das waren einige Aufgaben der Schuppenleute. In Frankfurt am Main führte eine Straßenbrücke über das Gelände der Betriebswerke, von der herab manch sehnsüchtiger Blick auf die schwarzen Lokomotivschönheiten und ihre Betreuer geworfen wurde.

66 Gesamt-
ansicht des
Betriebswerkes
Frank-
furt/Main 1,
von der Cam-
berger Brücke
um 1930 auf-
genommen.
Links die
Schnellzuglok
18 533 auf der
Fahrt zum
Haupt-
bahnhof.

67 Abstellgruppe
mit Personenzug-
lokomotiven in
Frankfurt/
Main.

68 Vor dem Kesselaus-
waschen.

69 Personenzuglok
39 084 nach dem
Bekohlen.

70/71/72/73   Impressio-
nen aus dem Frank-
furter Betriebswerk.

74/75 Dampflok-Atmo-
        sphäre in Frankfurt/
        Main.

76 Beim Nachfüllen der Schmiergefäße an einer G 8¹-Güterzuglok.

77 Drei im Freien abgestellte P 8-Maschinen in Frankfurt/Main.

78 Güterzug mit Lokomotive 57 2537 auf der Camberger Brücke in Frankfurt/Main.

79 Abschmieren im
   Schuppen.

80 Auswaschtag für
   eine P 8-Loko-
   motive.

81 Auf der Drehscheibe
des Betriebswerks
Frankfurt/Main 3
steht die Personen-
zuglok 38 3242 aus
Mainz. Im Hinter-
grund die Adler-
werke.

82 Lokomotive 38 1630
auf der Camberger
Brücke. Rechts der
Wasserturm und der
Rundschuppen des
Betriebswerks Frank-
furt/Main 3.

Lokomotivbau bei Schwartzkopff

Als die Deutsche Reichsbahn gegründet wurde, beteiligten sich 22 Lokomotivfabriken am Bau von Dampfloks. In der Folge des Ersten Weltkriegs waren noch einige Jahre lang sehr umfangreiche Beschaffungen nötig, doch schon ab 1924 nahmen die Einkäufe der Reichsbahn rasch ab. Von den neuen Einheitslokomotiven konnten während der wirtschaftlichen Krisenzeit nur kleinere Serien bestellt werden, und über die Hälfte der Werke gab diesen Fabrikationszweig auf, legte den Betrieb ganz still oder fusionierte. Von 1932 bis zum Kriegsbeginn lieferten nur noch neun Lokomotivbauanstalten für die Reichsbahn. Bei der Berliner Maschinenbau-AG vormals L. Schwartzkopff entstand Anfang 1940 eine Serie von Bildern aus dem Bau der Güterzuglok 50, die hier auch für die Arbeit in den Werkstätten von Borsig, Esslingen, Henschel, Jung, Krauss-Maffei, Krupp, Orenstein & Koppel oder Schichau stehen.

3 Hinter der schweren
Güterzuglokomotive
43 007, die 1927 unter
der Fabriknummer
8845 von Schwartz-
kopff gebaut wurde,
sehen wir den Turm
des Rathauses von
Wildau bei Berlin.

84 Typisch für
Schwartzkopff-
Werkfotos: die ge-
deckte Drehscheibe
mit den Mehrspur-
gleisen, im Hinter-
grund das Verwal-
tungsgebäude der
Firma. Die Lokomo-
tive 86 090 wurde
1932 fertiggestellt.

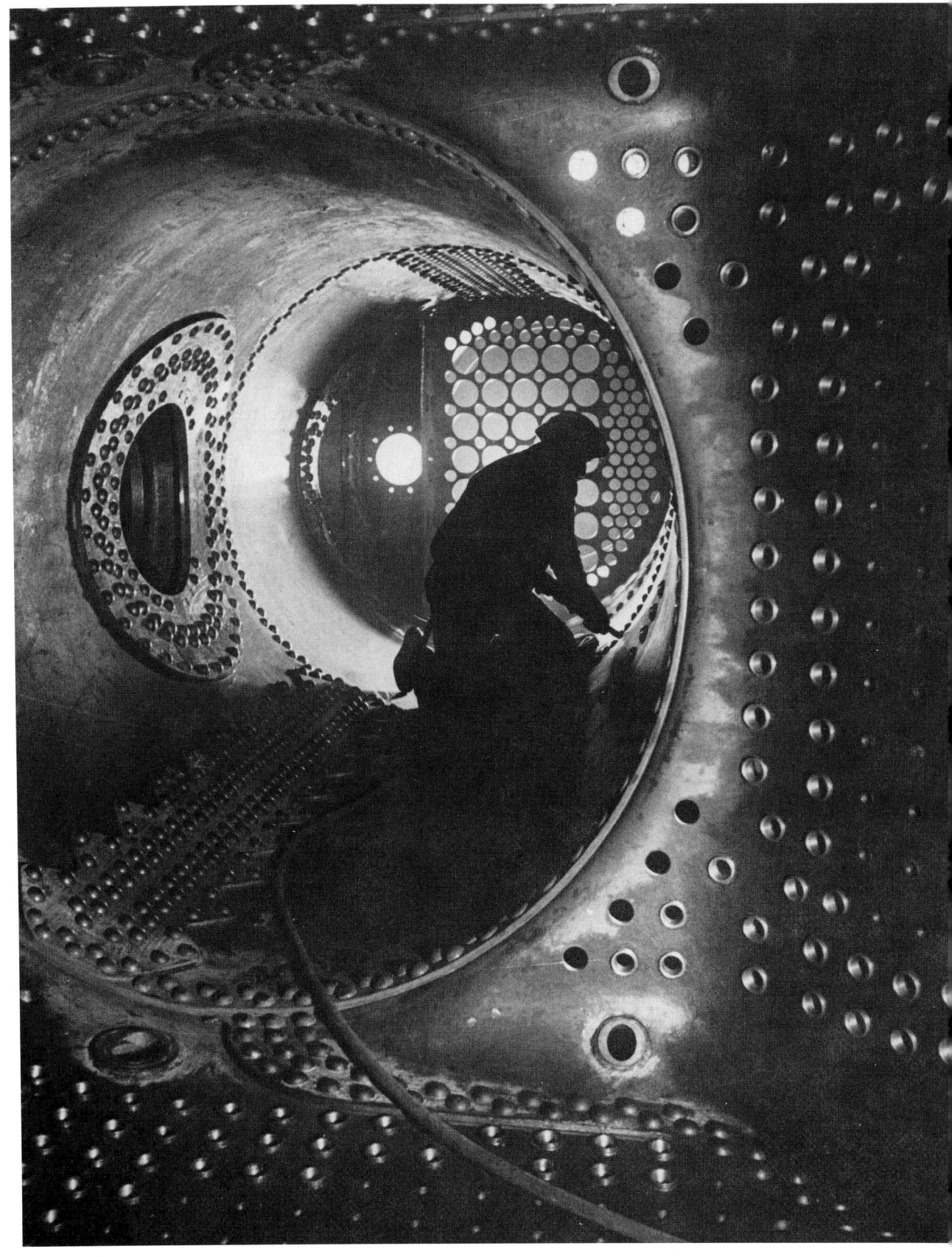

85 Nieten von Kessel-
verbindungen bei
Schwartzkopff.

86 Barrenrahmen für die
Güterzuglok-Baurei-
he 50.

89 Endmontage an zwei
50er-Dampfloks.

90 Fertig zum ersten An-
heizen schwebt die
Lokomotive durch
die Werkshalle von
Schwartzkopff.

91/92 Das erste An-
heizen der neuen
Lokomotive.

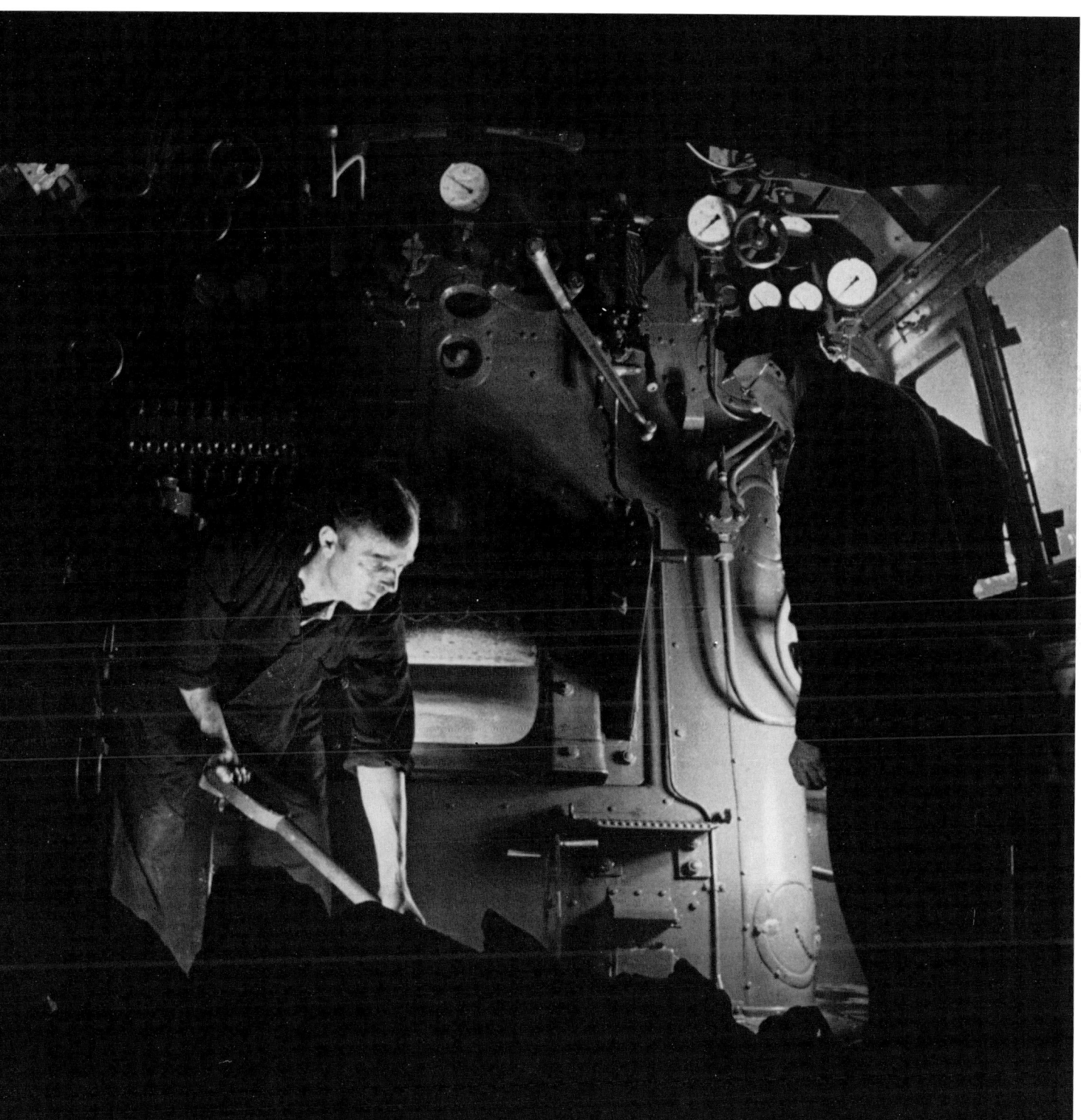

93 Auf der Lokomotiv-
waage: die im April
1941 fertiggestellte
Maschine 50 1304 für
die Deutsche
Reichsbahn.

94 Erste Probefahrt auf
dem kurzen Werks-
gleis neben der
Strecke Berlin–Kö-
nigs Wusterhausen
der Görlitzer Bahn.

REICHSBAHN
UND
LANDSCHAFT

Hamburg und Lübeck

![Bahnhofsgebäude]

1906 war in der Hansestadt der neue Hauptbahnhof eröffnet worden, zu dessen Bild stets – neben den Vorortzügen der Reichsbahndirektion Altona und den preußischen Maschinen vor den Zügen nach Kiel, Berlin, Hannover oder Bremen – die Lokomotiven und Wagen der Lübeck-Büchener Eisenbahn gehörten, bis diese stolze Privatbahn im Norden Deutschlands 1938 von der Reichsbahn übernommen wurde. Doch nicht nur die Schnellzugloks der LBE, ihr Dampftriebwagen und die »Micky-Maus«-Doppeldeckzüge lockten zum Besuch auf der Steindammbrücke, die Reichsbahn selbst bot durch Fernschnellzüge mit Telephonie, durch ihre Stromlinienlokomotiven und Schnelltriebwagen dem Zaungast ebenfalls Abwechslung genug; das Stichwort »Fliegender Hamburger« wurde zum Namen für eine ganze technische Epoche zwischen 1932 und 1939.

96 Hamburg Haupt-
bahnhof 1938, Glok-
kengießerwall.

97 Vor dem Schnellzug
nach Hannover: Lo-
komotive 03 114 in
Hamburg Hbf.

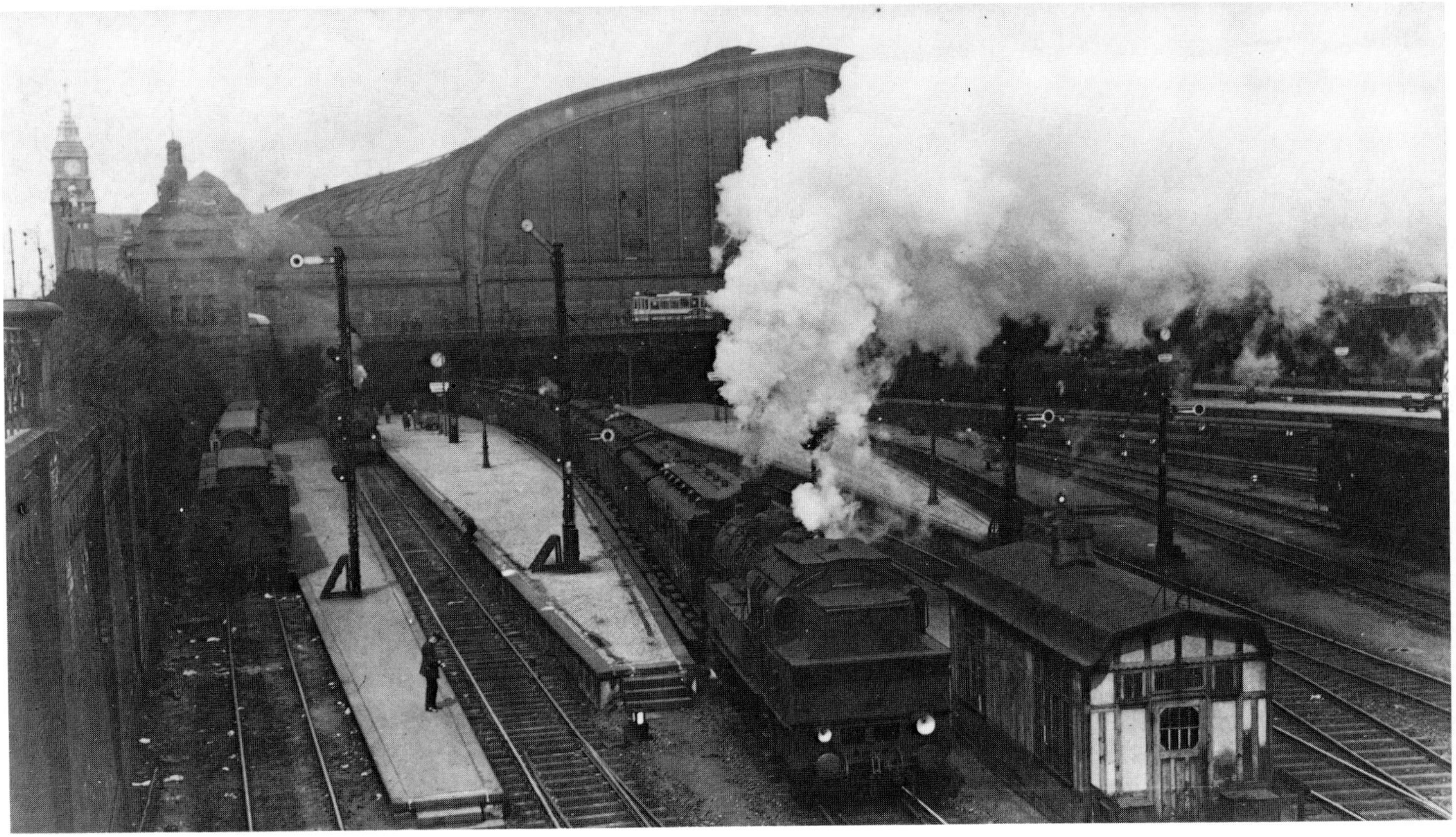

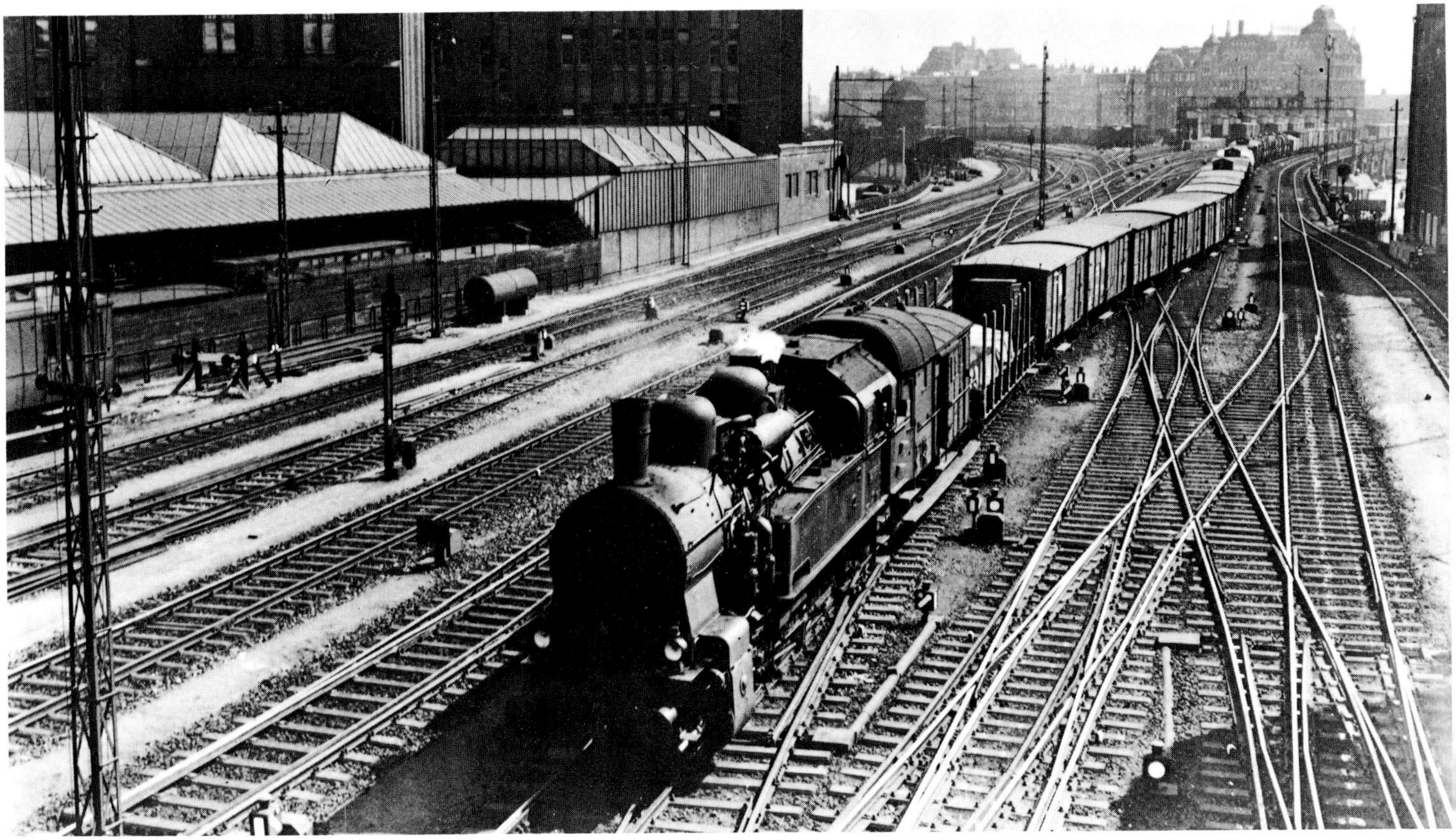

98 Hamburg Hbf: Vor-
ortzug mit Lokomo-
tive 93 572.

99 Güterzuglokomotive
94 1241 in Hamburg.

100 Rechts ein Perso-
nenzug der Lübeck–
Büchener Eisenbahn
mit der Lokomotive
Nr. 22, Gattung
S 10², links die Ran-
gierlok P des Haupt-
bahnhofs Hamburg,
eine preußische
T 12.

101 Vorortzüge am Hamburger Haupt-bahnhof. Links die Oberleitung der Stadtbahn.

102 Lübeck–Büchener Schnellzuglok 15 vor dem P 25 nach Lübeck in Hamburg Hbf.

103 Personenzug mit der Lokomotive 78 174.

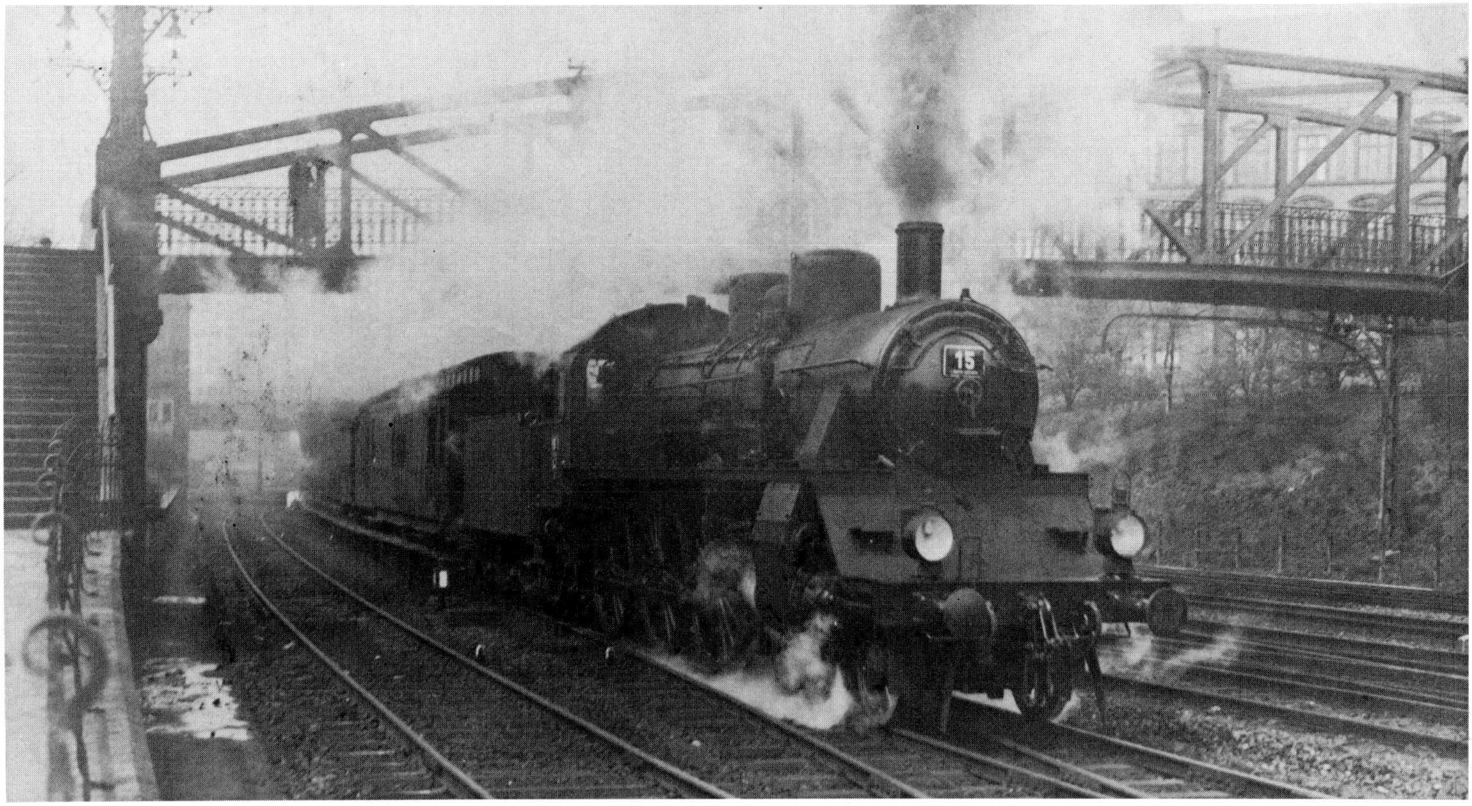
15

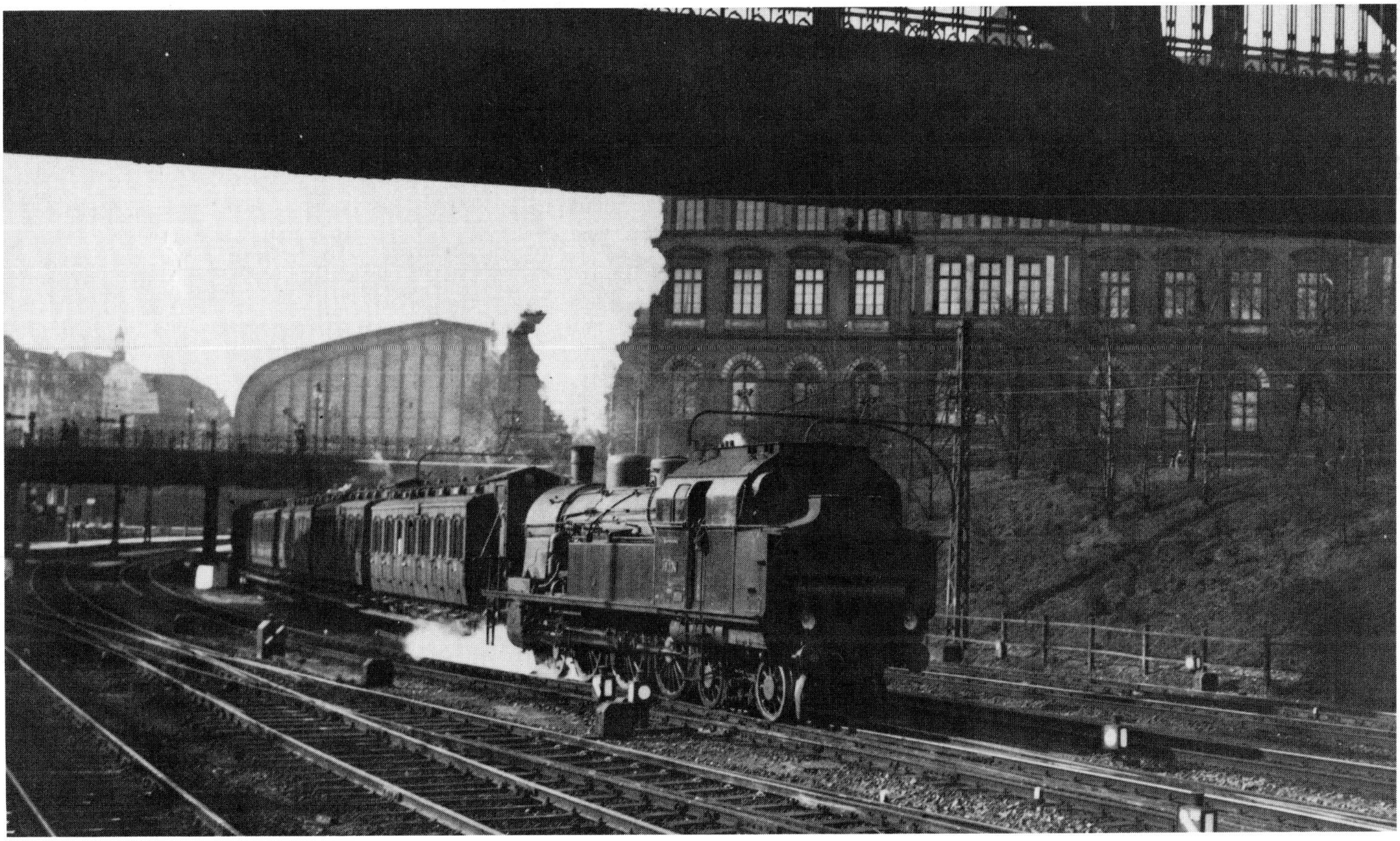

104 Zwei berühmte
Schnellverkehrs-
fahrzeuge der frü-
hen dreißiger Jahre:
links der »Fliegende

Hamburger«, rechts
der Dampftriebwa-
gen 2000 der Lü-
beck-Büchener Ei-
senbahn.

105 Premiere des LBE-
Doppeldeckzuges
am 7. April 1936 in
Hamburg.

106 Hamburg Haupt-
bahnhof, 1937.

107 Hamburg Haupt-
bahnhof, 1939/40.

109　Bahnhof Ocholt auf
　　der Strecke Olden-
　　burg–Leer, Sommer
　　1938.

10 Güterzug mit G 8²-
Lokomotive passiert
den Hauptbahnhof
Hamburg, 1938.

111 Schnellfahrlokomotive 05 002 vor dem Berliner FD-Zug in Hamburg-Dammtor, 1938.

112 Der »Fliegende Hamburger« Anfang 1933 in Altona, noch während der Probefahrten.

113 Versuche mit der Schnellzuglok 03 154 zur Entwicklung einer Stromlinienform für Lokomotiven. Altona 1934.

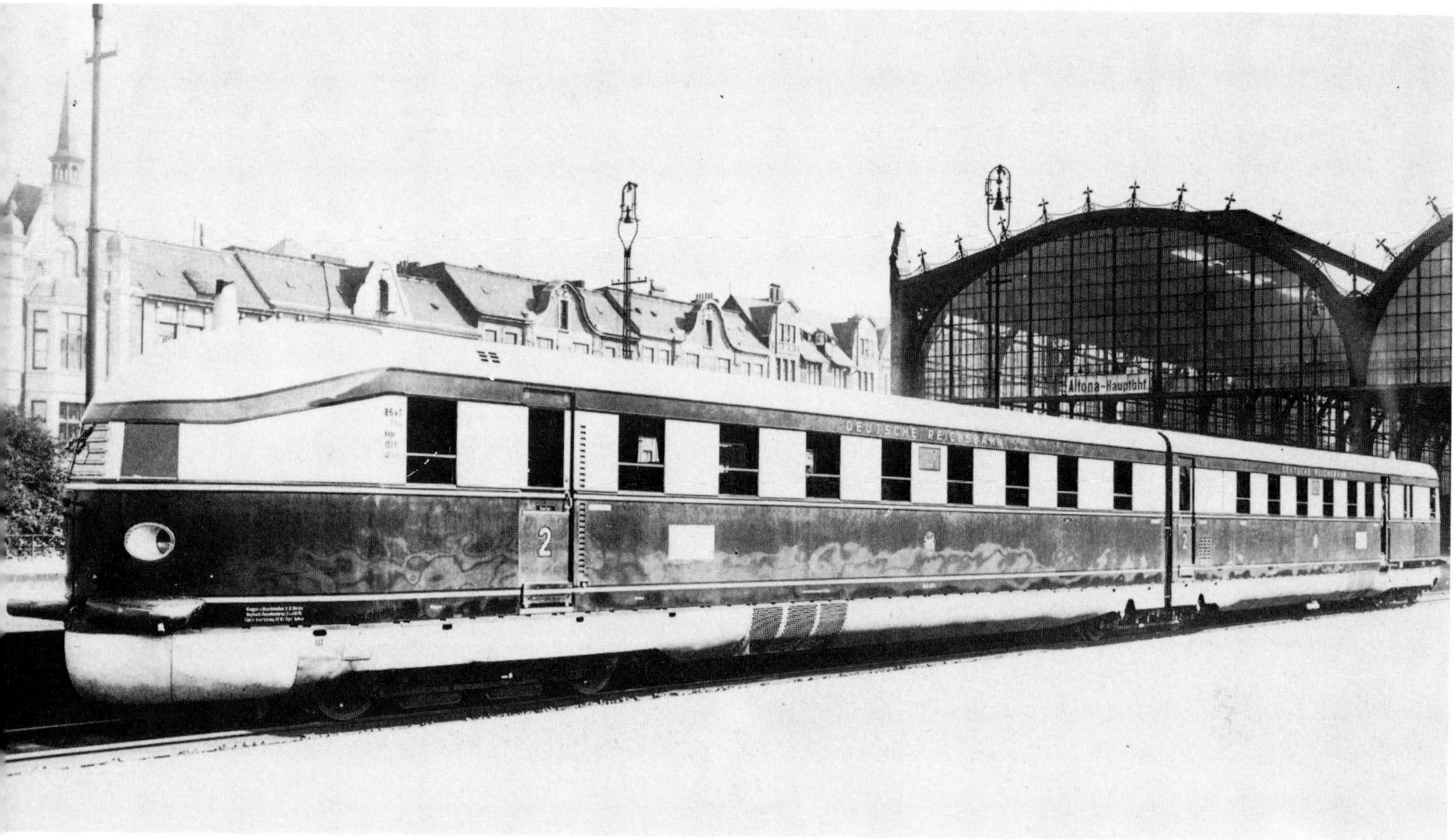
Altona-Hauptbhf
DEUTSCHE REICHSBAHN
2

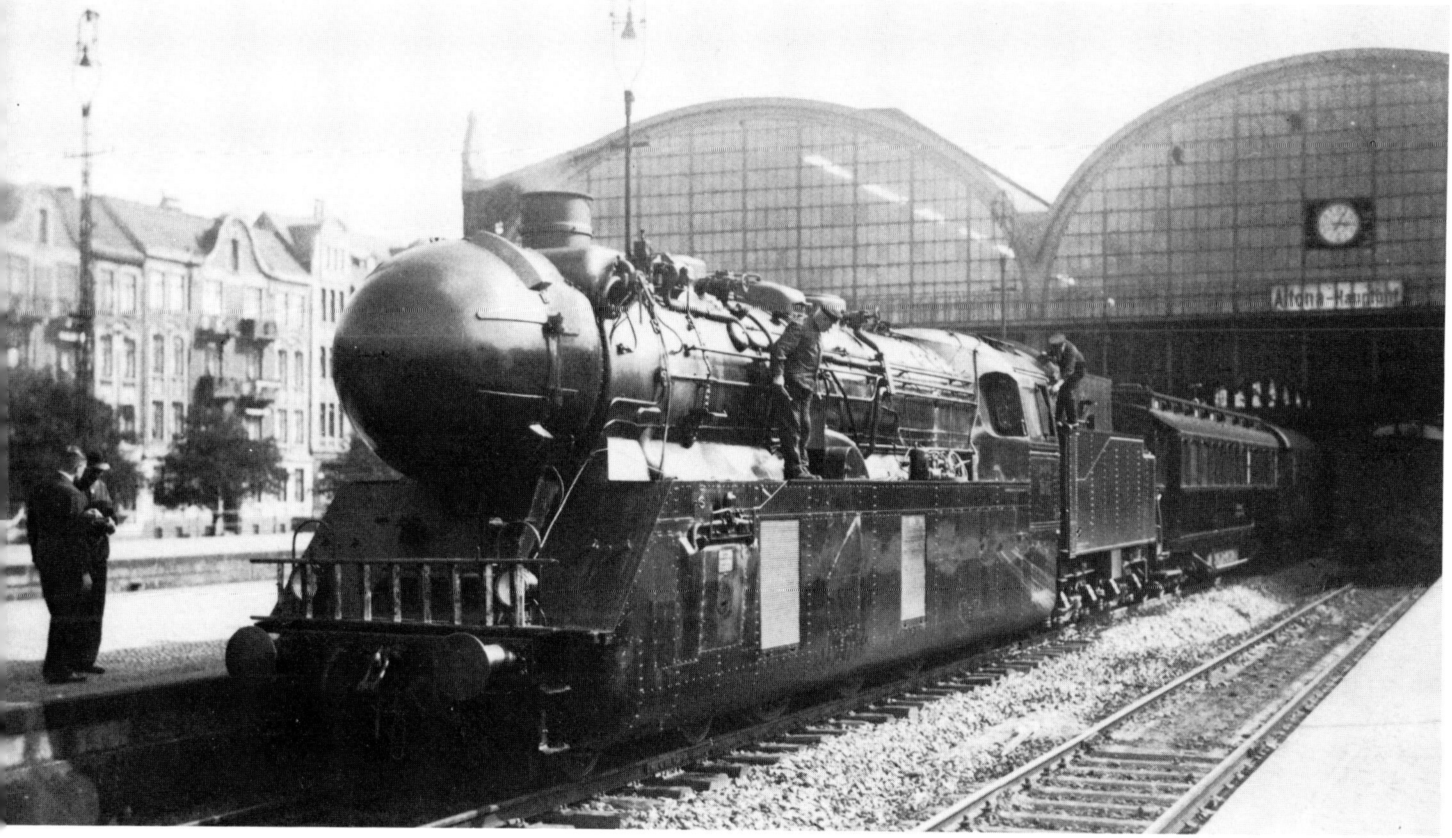
Altona-Hauptbhf

114 Die 1937 von Hen-
schel erbaute »Mik-
ky-Maus-Lokomo-
tive« Nummer 3 für
die Doppeldeckzüge
der Lübeck-Büche-
ner Bahn.

115 Ausfahrt eines Skan-   03 215 aus Lübeck.
     dinavien-Schnellzu-   Rechts eine S 10^2-
     ges mit Lokomotive   Maschine der LBE.

116 Hamburger Vorort-
zug mit Lokomotive
78 073 in Fried-
richsruh.

117 Doppeltraktion aus
78 115 und 78 174 in
Friedrichsruh.

118 Güterzug im Sach-
senwald bei Bude
303, geführt von Lo-
komotive 56 2895.

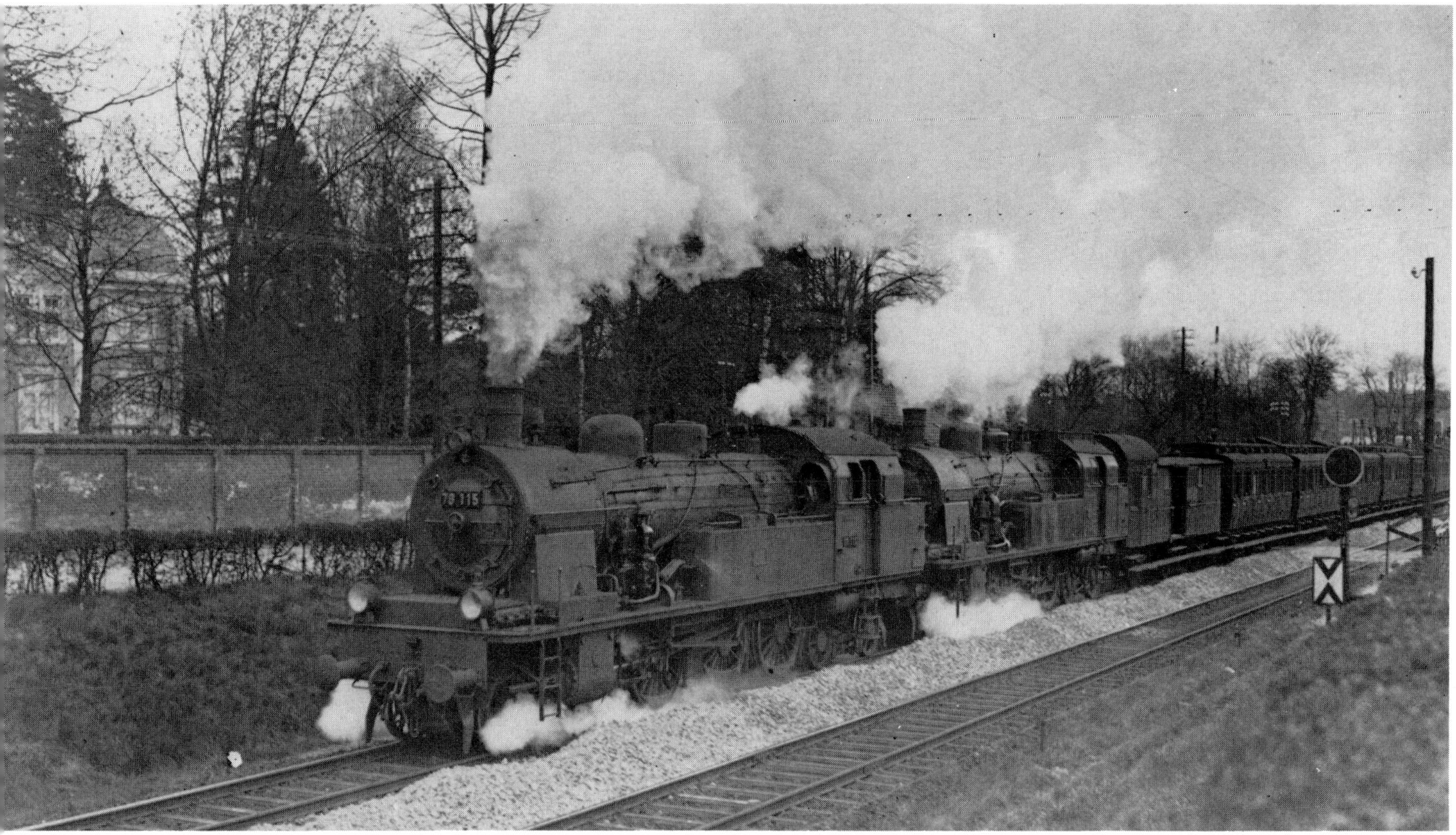
78 115

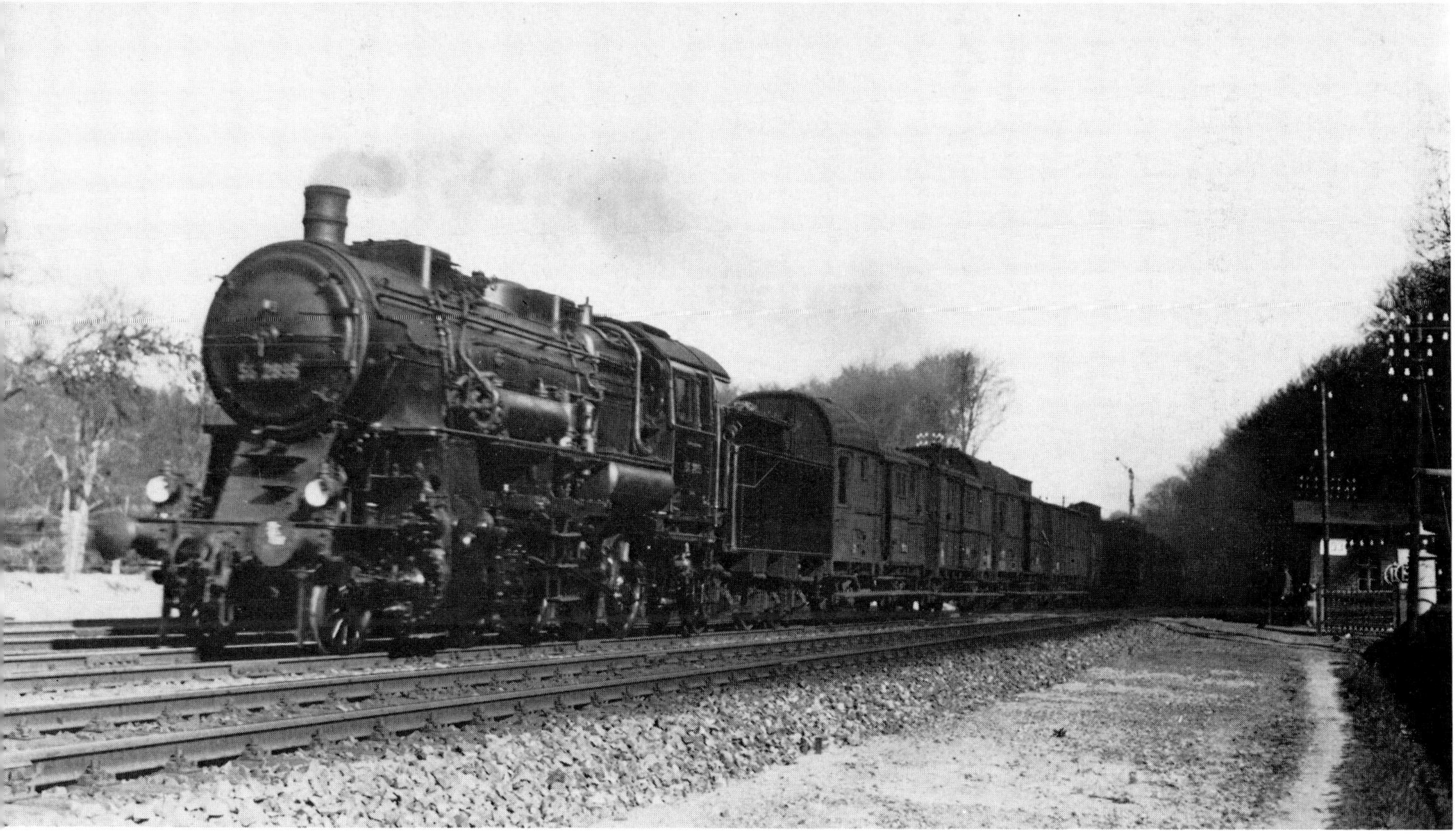

Mecklenburg und Pommern

Die Landschaften an der Ostsee sind in der Erinnerung meist mit Ferienaufenthalten verbunden, der Eisenbahnbetrieb folgte der Reisesaison und den Abfuhrperioden der Landwirtschaft, besonders auffällige Züge fehlten. Dafür strahlten der Kleinbahnverkehr auf Schmalspurgleisen und die Reize der Landschaft eine eigene Atmosphäre aus, die auch diesem Bezirk ihre Freunde sicherte. Die Eröffnung des Rügendammes lenkte 1936 die Aufmerksamkeit der Eisenbahner auf den Küstenstrich, von dessen Häfen Saßnitz und Warnemünde der größte Teil des Verkehrs mit den skandinavischen Ländern abgewickelt wurde.

19 Badische VIc-Loko-
motive 75 427 im
mecklenburgischen
Personenzugdienst
bei der Abfahrt aus
Schwerin.

120 Einheitslokomotive
24 013 vor dem
E 267 Uelzen–Ro-
stock in Schwerin.

121 Vierachsiger Trieb-
wagen 876 Wupper-
tal mit 175-PS-May-
bach-Motor, 1932
bei der Waggonfa-
brik Wismar erbaut.

122 Blick in die Montagehalle der Waggonfabrik Wismar 1932: Links drei Wismar-Schienenbusse, wie sie auf allen Kleinbahnen fuhren, daneben der Reichsbahn-410-PS-Städtetriebwagen VT 871, vor dessen Beiwagen rechts ein Wagen für die Stendal-Tangermünder Eisenbahn, ganz rechts schließlich der Jacobswagen 1645 für den Hamburger Vorortverkehr.

23 Lokomotive 24 025
auf Bahnhof Lüssow
in Mecklenburg. Die
Maschine gehörte
zum Betriebswerk
Schwerin.

124 Personenzug-Ten-
derlok 62 006 beim
Einsatz auf der Insel
Rügen 1934.

125 Der Originaltext zu
diesem Pressefoto
aus Mecklenburg
lautet: »Einmal in
der Woche ist Para-
de! Da bauen alle
deutschen Schran-
kenwärter ihre Sig-
nale, Lampen und
sich selber in Reih
und Glied am Schie-
nenstrang auf. Mit
kurzem, scharfem
Blick überzeugt sich
der Aufsichtsbeamte
vom fahrenden Zug
aus, das alles in Ord-
nung ist.«

126 Dieselmechanischer Kleinbahntriebwagen (750 mm Spurweite, 95 PS, 36 Plätze) der Greifswald-Jarmener Eisenbahn, Baujahr 1935, aus der Waggonfabrik Dessau.

127 Hochseefährschiff »Schwerin« in Warnemünde, badische VIc-Lokomotive.

128 Bahnwärterhaus in Pommern bei Winningen.

129 Abendszene in Pommern: Strecke bei Teschendorf.

113

Berlin

Zur Reichsbahnzeit, also während der Weimarer Republik und in den darauffolgenden Jahren, war Berlin nicht nur politischer, wirtschaftlicher und kultureller Mittelpunkt des Landes, sondern hier war auch das Zentrum im Schienennetz der Eisenbahnen zu finden. Die Stadtbahnstrecke mit den Fernstationen Charlottenburg, Zoologischer Garten, Friedrichstraße und Schlesischer Bahnhof, die großen Kopfbahnhöfe der Anhalter, Potsdamer, Lehrter, Stettiner und Görlitzer Bahnen, dazu die nach Hunderten zählenden Haltepunkte des Nah- und Vorortverkehrs, an die ein jeder seine persönlichen Erinnerungen zu knüpfen vermochte, machten gemeinsam einen Brennpunkt aus, wie er nur mit Paris und Wien, mit Prag oder London zu vergleichen war. In der Reichshauptstadt trafen fast alle Dinge zusammen, die wir in Gedanken mit dem Wort: Reichsbahnzeit verbinden.

130 Die nagelneue Einheitslokomotive 01 006 im Bahnbetriebswerk Berlin Anhalter Bahnhof, Anfang 1926 aufgenommen.

131 Schnellzuglokomotive der Reihe 01^{10} bei der Ausfahrt vom Anhalter Bahnhof in Berlin, 1940, vor dem Münchener Schnellzug D 40.

132 Preußische P 8 auf
dem Prüfstand der
Versuchsabteilung
in Grunewald bei
der Abgasprüfung.

133 Die Mitteldruck-
Versuchslokomoti-
ve 04 001, spätere
02 101, während der
Meßfahrten in Gru-
newald, Oktober
1932. Die Räder
links und rechts der
Windleitbleche ge-
hören zur Indizier-
einrichtung.

116

Ankunft des »Schie-
nenzepp« nach sei-
ner Rekordfahrt
Hamburg–Berlin
am 21. Juni 1931 in
Spandau Hbf.

35 Henschel-Stromli-
nienlokomotive
61 001 auf dem Ge-
lände der Versuchs-
abteilung Grune-
wald, Sommer 1935.

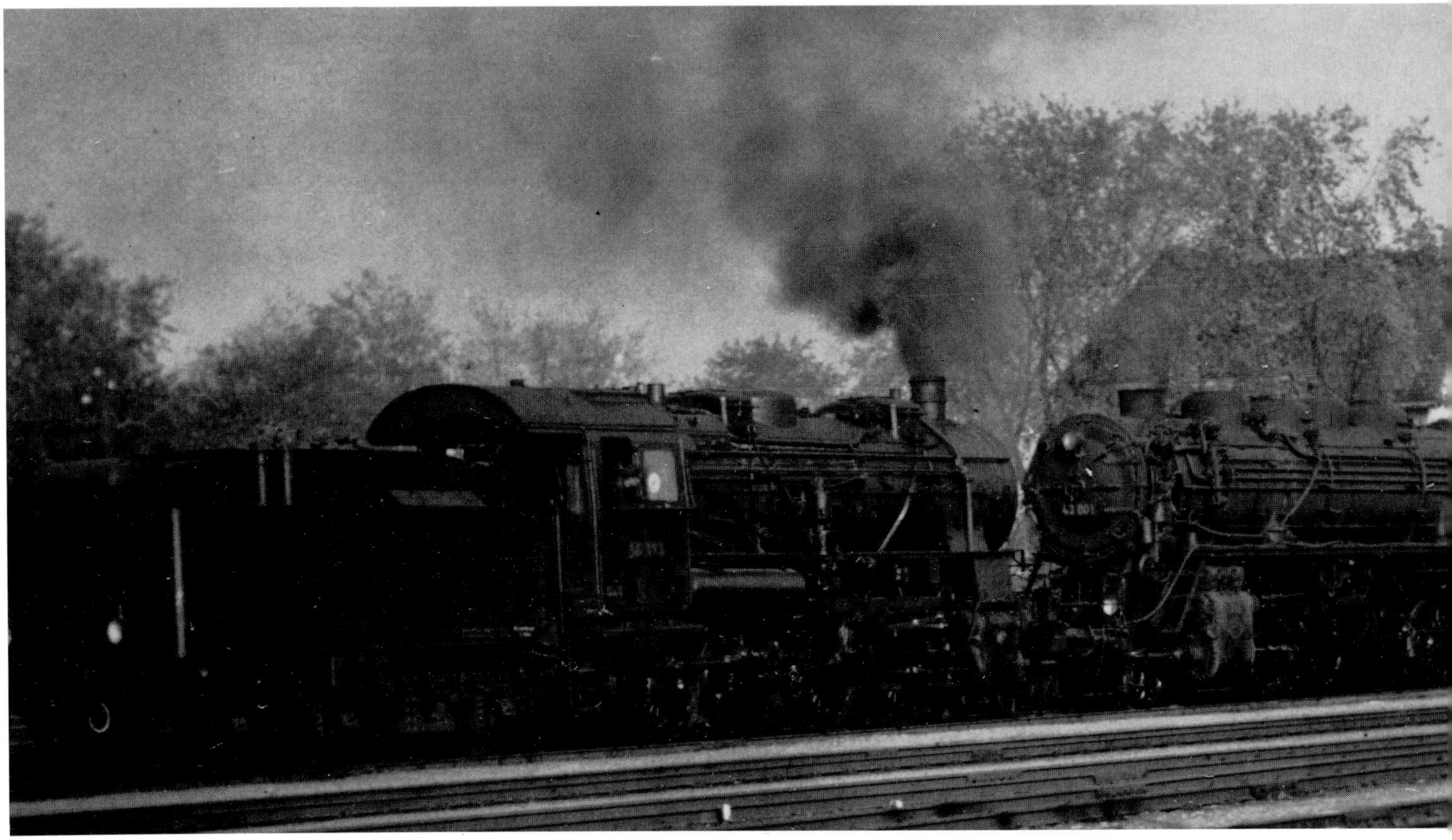

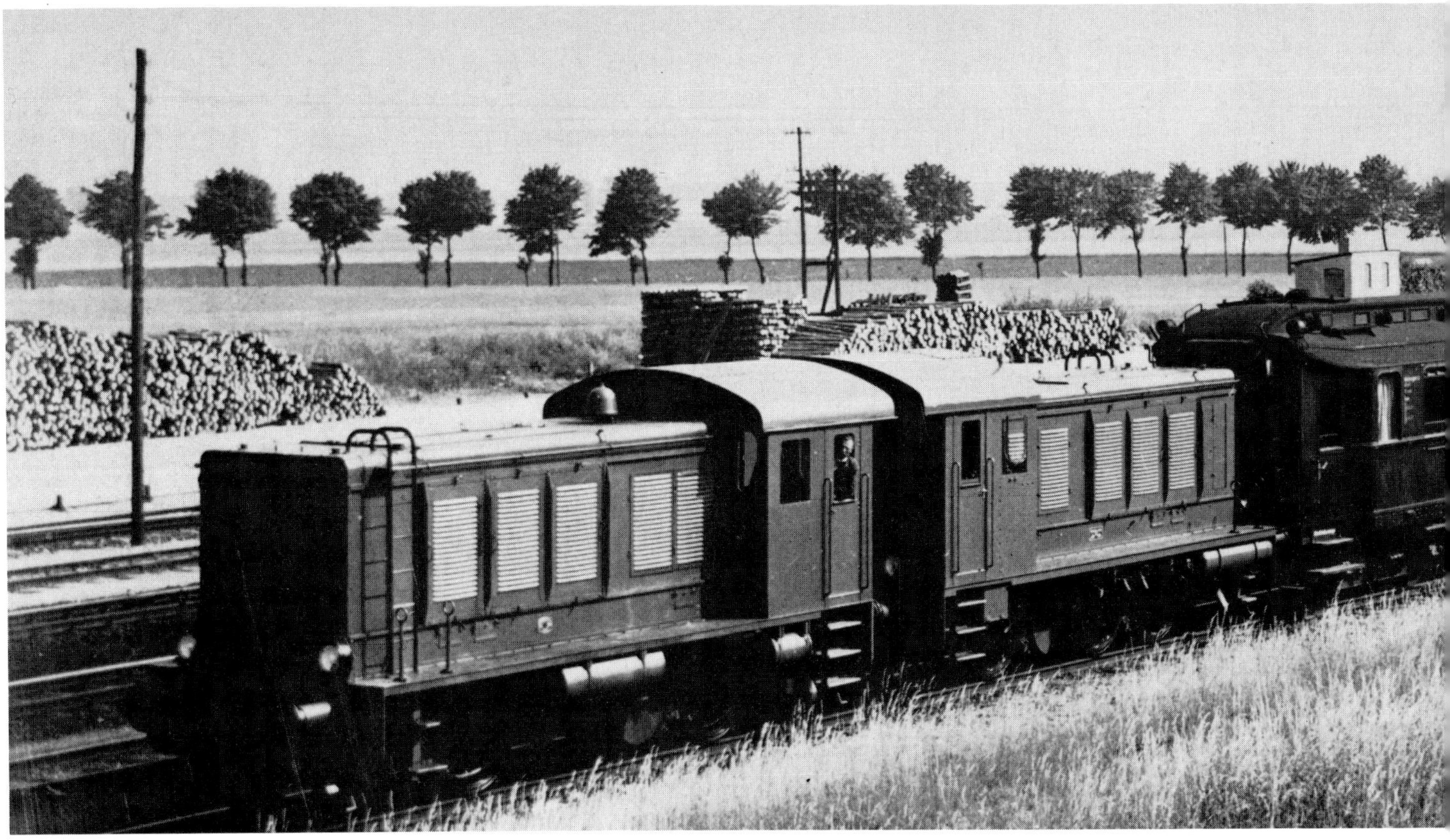

136 Versuchszug mit Bremslokomotiven vor der Abfahrt von Grunewald: Zur Messung eine Stug-Kohlenstaubloko-motive der Gattung G 12, dahinter der Meßwagen 2 sowie die Bremslokomoti-ven 43 001 und 56 113.

137 Meßzug mit zwei 360-PS-Diesello-ko-motiven für die Deutsche Wehr-macht auf Bahnhof Demker bei Stendal: Meßwagen 1 und G 8³-Bremslok der Versuchsabteilung, Sommer 1937.

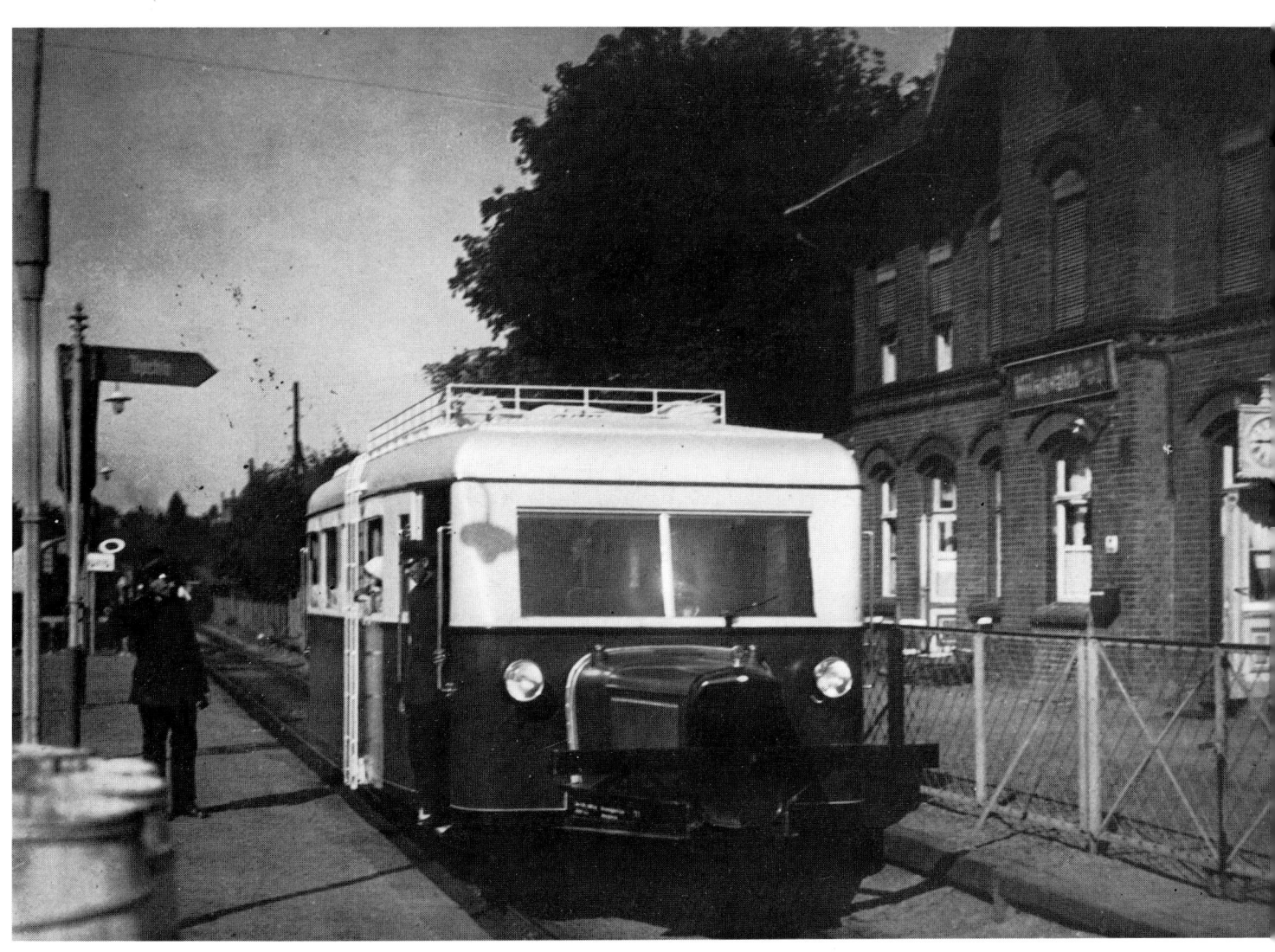

138 Wismarer Schienen-
bus der Neukölln-
Mittenwalder Eisen-
bahn in Mittenwalde
Ost auf der Fahrt
nach Töpchin, 1936.

139 Borsig-Schnellzug-
lokomotive beim
Transport zu der
Ausstellung
»Deutschland«, die
1936 während der
Olympiade in Berlin
veranstaltet wurde.

Schlesien

WILLY HERRMANN

Mehr noch als Ostpreußen und Pommern ist Schlesien den Reisenden der Reichsbahnzeit als etwas Besonderes in Erinnerung geblieben, gab doch der elektrische Betrieb auf den Gebirgsstrecken jedem Ferienaufenthalt und jeder Geschäftsvisite das eigene Gepräge. Der Schnelltriebzug »Fliegender Schlesier« ebenso wie der Gebirgstriebwagen »Rübezahl«, die langen Kohlenzüge aus dem oberschlesischen Grubenrevier wie die im Westen Deutschlands kaum mehr bekannten alten preußischen Elloks, die hier gehegt und gepflegt wurden, sie alle trugen zu diesem Bild von der Eisenbahn bei, das sich vor einer unvergleichlichen Landschaft namentlich den Besuchern aus Berlin darbot.

140 Schwere elektrische
Güterzuglokomoti-
ve E 95 01 in Schle-
sien, eine weitere
Farbzeichnung von
Willy Herrmann,
um 1926.

141 Lokomotive E 95 01
im schlesischen
Winterdienst.

142 Blick auf Beuthen in Oberschlesien und seinen Personenbahnhof.

143 Eine der bekannte-
sten Aufnahmen
von Dr. Wolff:
Kohlen-Verschiebe-
bahnhof in Ober-
schlesien.

144 Schnelltriebwagen
Typ »Leipzig« SVT
137 154 vor dem
neuen Hauptbahn-
hof in Liegnitz.

145 Lokomotive
EP 216, die spätere
E 42 16, aus Trieb-
gestellen für die Ber-
liner Stadtbahn ent-
standen, um 1925 im
schlesischen Dit-
tersbach.

146 Gelenkdrehscheibe in Waldenburg-Dittersbach: Güterzuglokomotive E 91 88, im Hintergrund ein Ganzzug aus Großraumwagen mit einer Maschine der Reihe E 91^3.

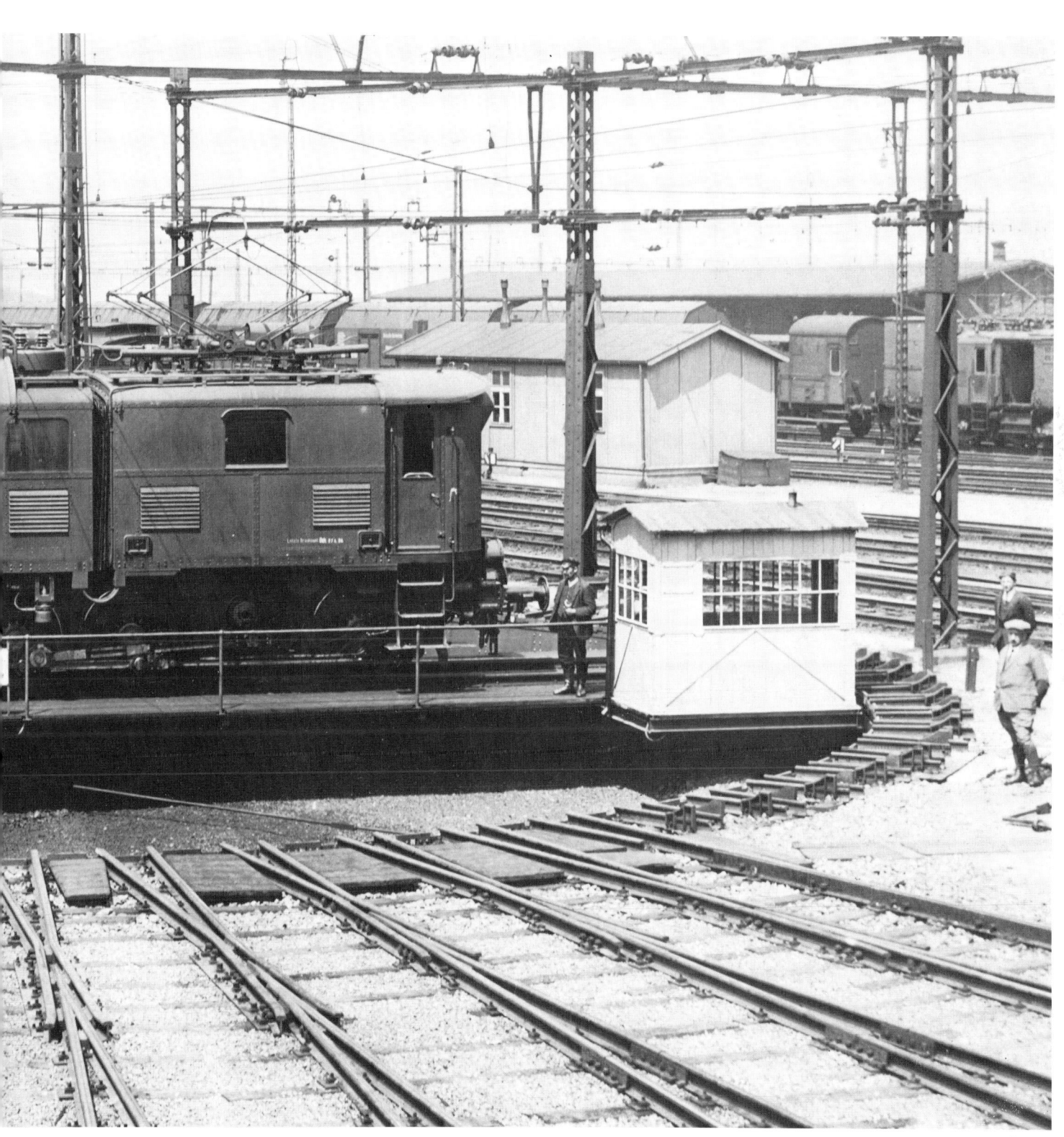

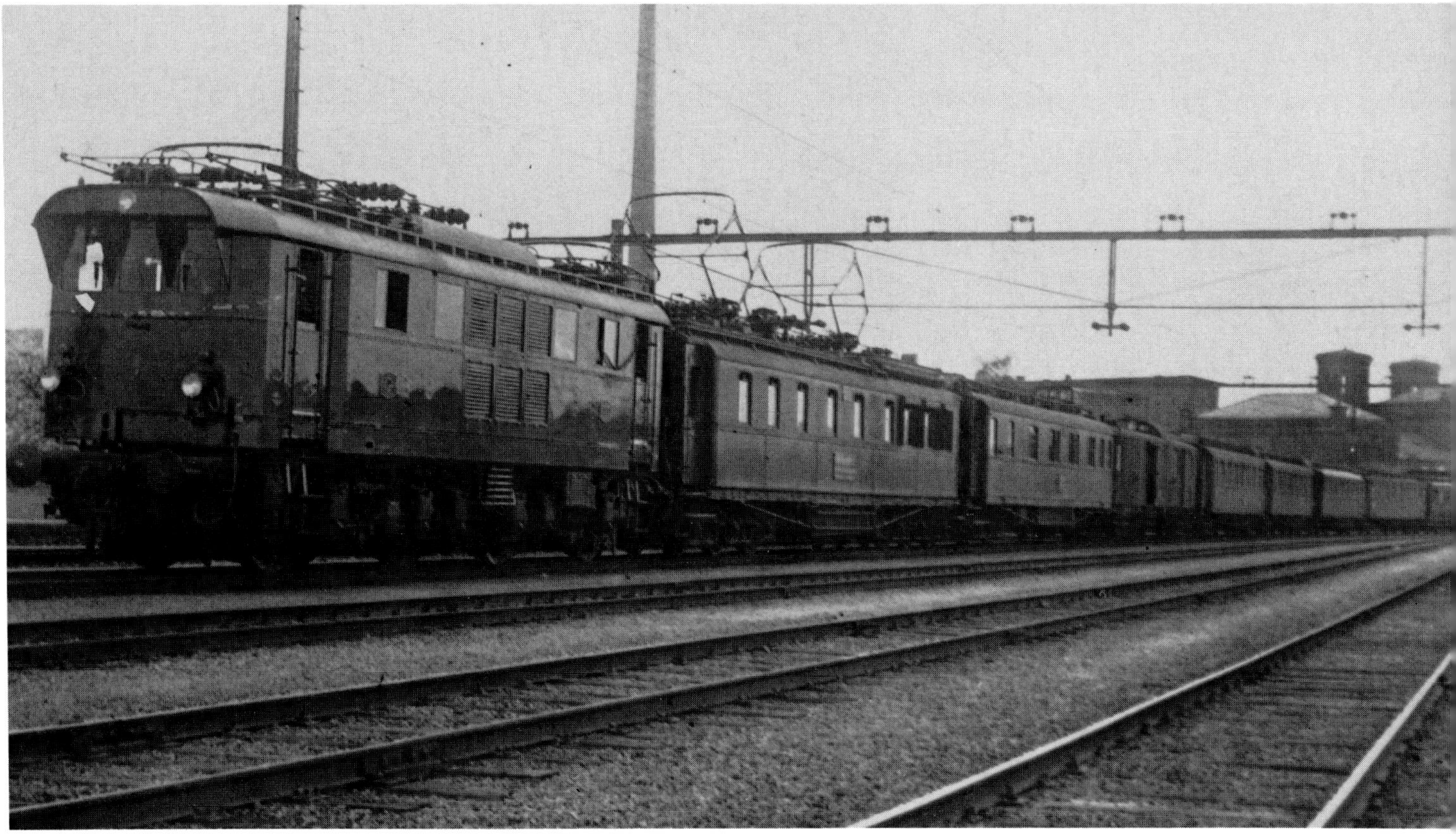

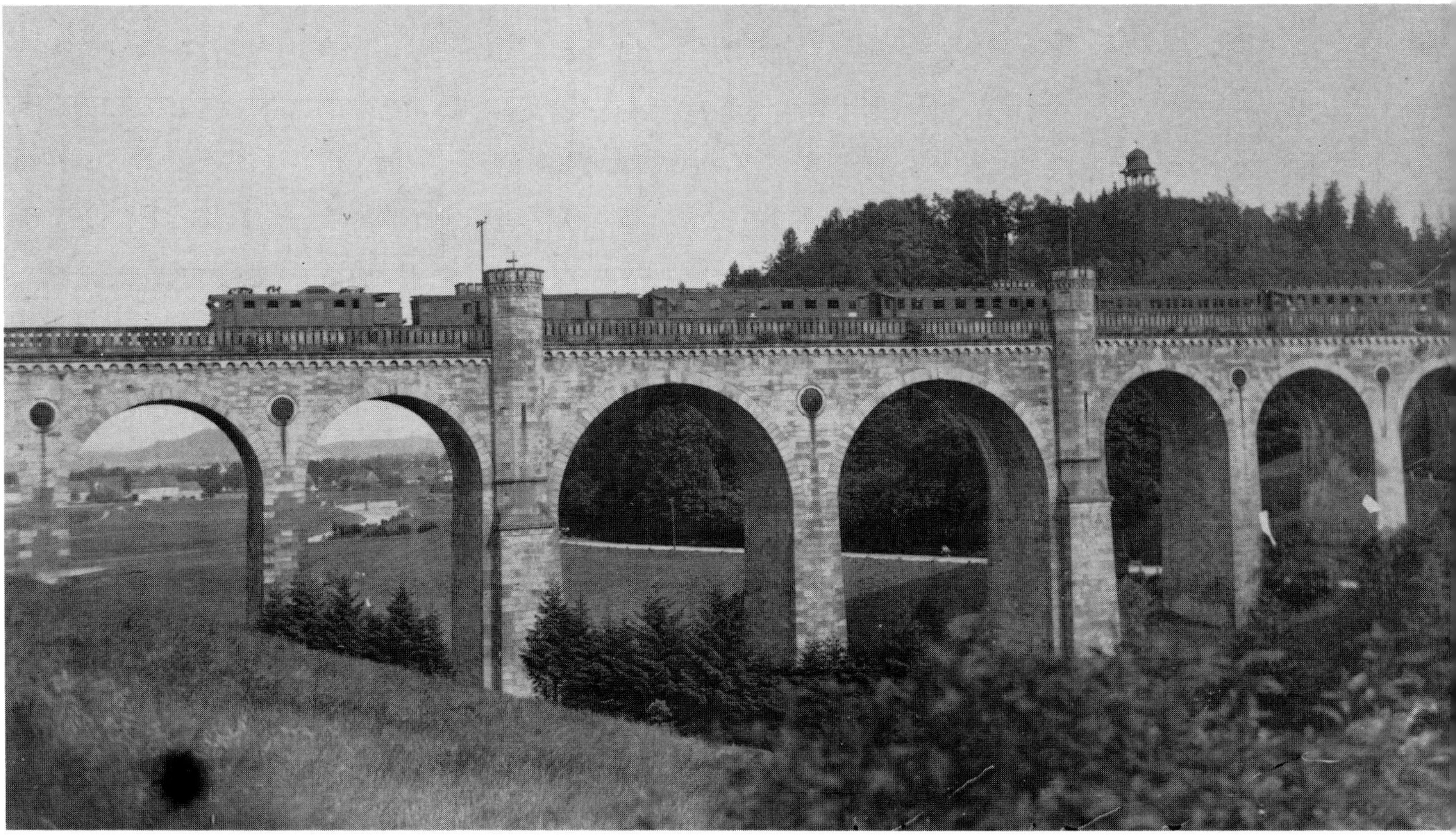

147 Meßfahrten in Schlesien im Mai 1931: die Lokomotive E 44 101, später E 44 501, kam sodann auf die Strecke Freilassing–Berchtesgaden.

148 Auf dem Bober-Viadukt bei Hirschberg: Lokomotive der Reihe E 50³ vor dem D 191 Berlin–Görlitz–Breslau.

149 Triebwagen Breslau 517 mit dem Beinamen »Rübezahl« auf dem Görlitzer Neißeviadukt. Einsatz meist auf der steigungsreichen Strecke Hirschberg–Polaun, Aufnahme 1926.

150 Ursprünglich für
den Betrieb in Berlin
vorgesehen, kam der
Triebwagen der
Reihe ET 88 in
Schlesien zwischen
Nieder Salzbrunn
und Halbstadt über
Fellhammer zum
Einsatz.

151 Wechselstromtrieb-
wagen Breslau 1701
bei der Ablieferung
von Siemens im Ok-
tober 1934. Das
Zuglaufschild deutet
auf den Verkehr
zwischen Görlitz
und Breslau Frei-
burger Bahnhof hin.

152 Eiltriebwagen der
Reichsbahn mit Bei-
wagen Dresden
137 064 in Zittau,
Sommer 1934. Ma-
schinenleistung
410 PS, elektrische
Kraftübertragung.

153 Preußische T 9³
beim Verschub in
Görlitz.

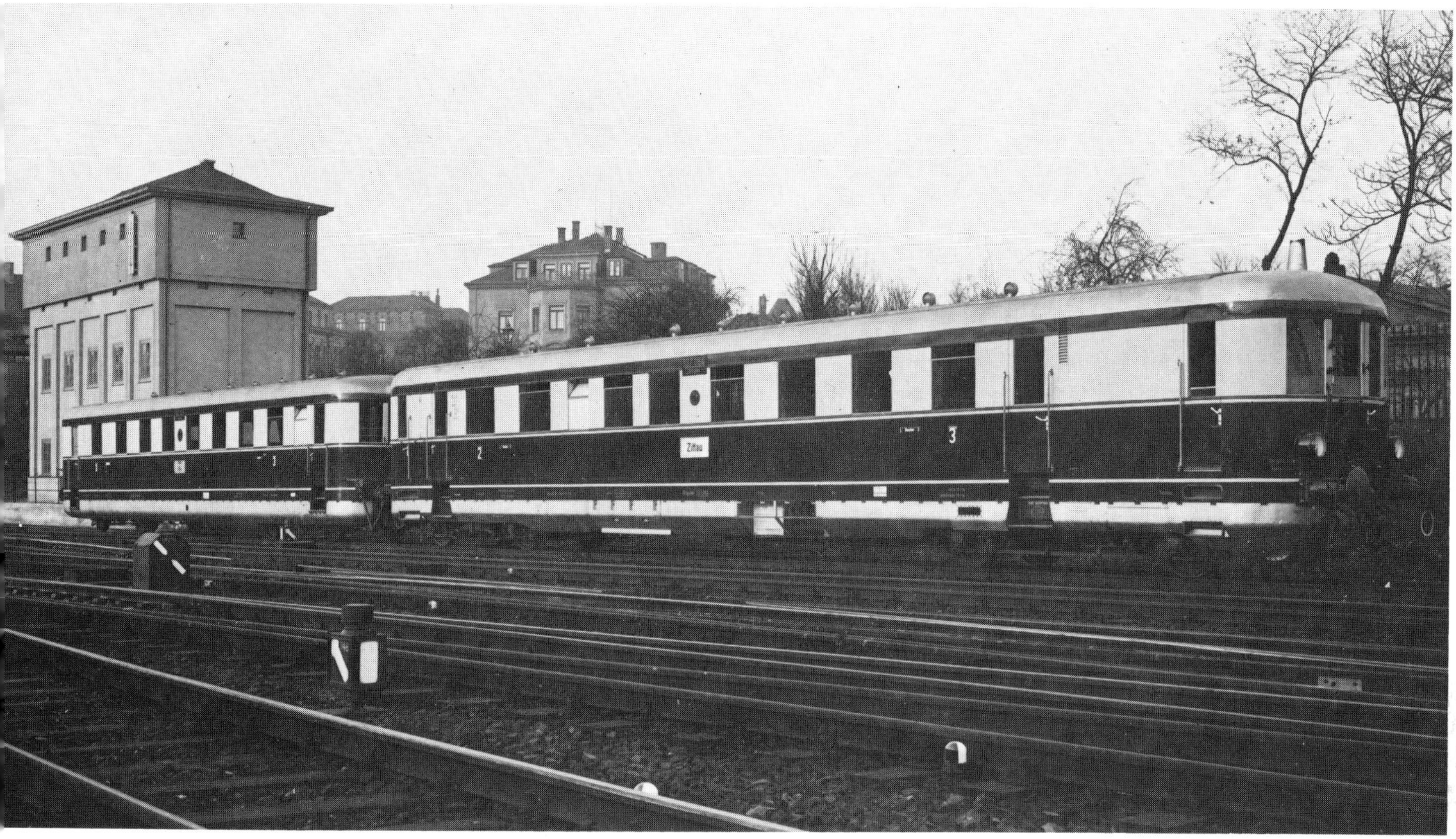
Zittau

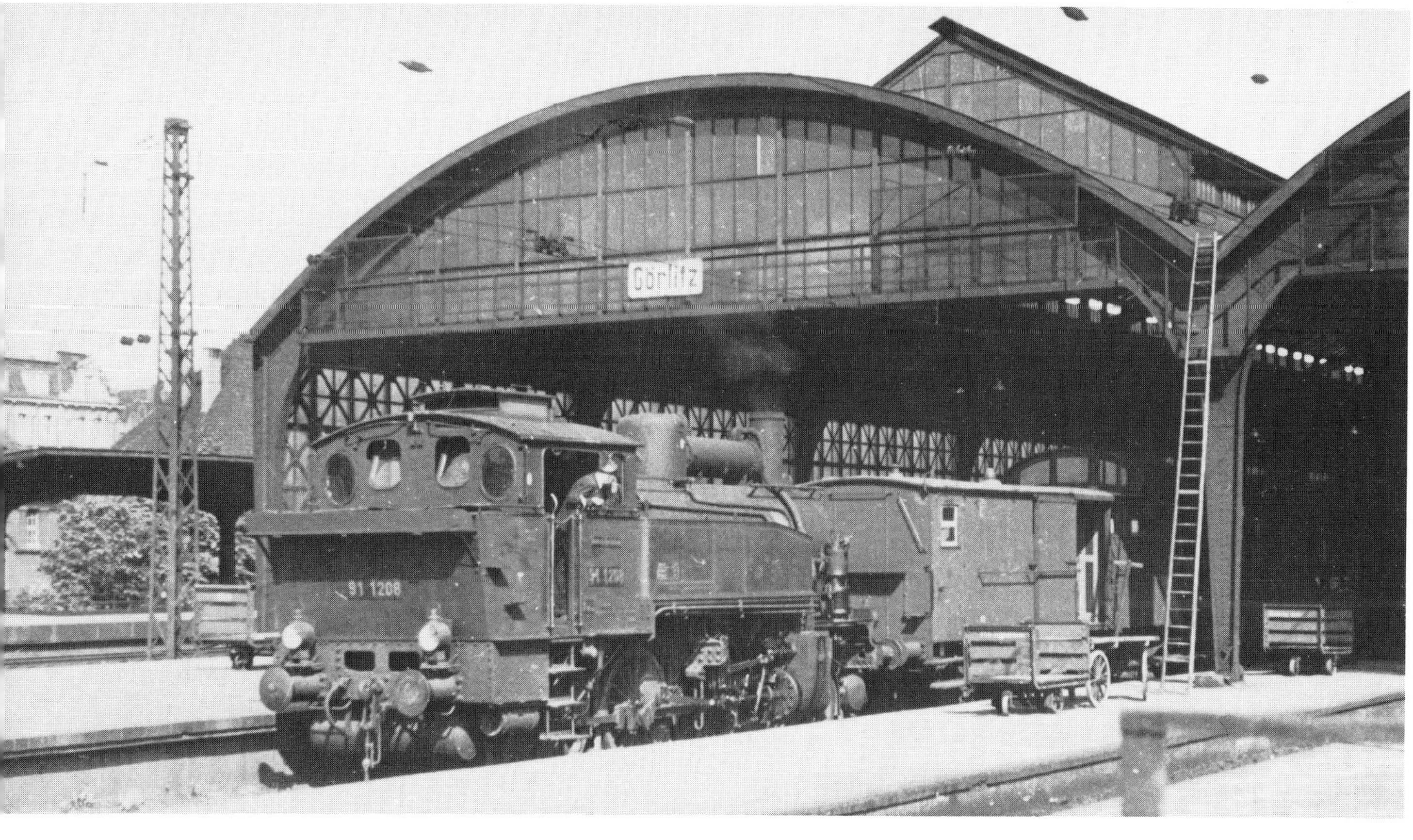
Görlitz
91 1208

154 Produkte der Waggon- und Maschinenfabrik in Görlitz: Gebirgstriebwagen Breslau 517, Heimatbahnhof Hirschberg, spätere Reihe ET 89, von der Wumag und Siemens 1926 erbaut.

155 Schnellzugwagen Altona 26 515, Gattung C 4 ü, Baujahr 1931.

156 Nebenbahntriebwa-
gen Regensburg 720
mit Beiwagen 907,
spätere Reihe

VT 79⁹, benzol-me-
chanischer Antrieb,
Baujahr 1932.

157 Beiwagen Essen 955
für einen Diesel-
triebwagen, 1933
gebaut.

Dresden und das sächsische Bergland

Der Dresdner Hauptbahnhof mit seiner eigenen Architektur der Bahnsteige auf zwei Ebenen, die internationalen Züge zwischen Berlin und Prag oder Wien in der Sächsischen Schweiz, schließlich die Vielzahl der in den Gebirgstälern erbauten Schmalspurbähnchen, sie bildeten die wichtigsten Motive im Werk des Dresdner Fotografen Werner Hubert, dessen Arbeit wir die reiche Ausstattung dieses Kapitels verdanken. Seine Eisenbahn-Postkarten wurden bei Leonhardt in Dresden und bei Wilhelm in Berlin vertrieben, später gehörte er zum Kreis des Deutschen Lokomotivbild-Archivs, und wir sehen in seinen Bildern, wie auch in Sachsen nach Gründung der Reichsbahn bald preußische Maschinen auftauchten und die Szene bestimmten.

158 Blick auf den Dresdner Hauptbahnhof, um 1933.

159 »Sachsenstolz«, Schnellzuglok 19 007 der legendären Gattung XX HV.

160 Der sächsische »Rollwagen«, Personenzuglokomotive 38 298 der Gattung XII H 2, vor einem Zug von Dresden nach Plauen.

161 Die Dresdner Elbbrücken und der Schnellzug mit Lokomotive 39 023, ein typisches Eisenbahnbild der Vorkriegsjahre.

162 Feriensonderzug Dresden–München, bespannt mit den Lokomotiven 93 946 (preußische Gattung T 14[1]) und 19 009 (sächsische Gattung XX HV).

Zug für die Wind-
bergbahn nach Pos-
sendorf mit Loko-
motive 98 014, um
1925.

164 Der Henschel-Weg-
mann-Zug mit Lo-
komotive 61 001
wurde ab Sommer
1936 zweimal täg-
lich zwischen Dres-
den und Berlin An-
halter Bahnhof ge-
fahren. Aufnahme in
Dresden-Neustadt.

165 Wenn die Stromli-
nienlok streikte, ka-
men auch 01-Loko-
motiven – hier
01 185 des Betriebs-
werks Dresden Alt-
stadt – vor dem
Wegmann-Zug zum
Einsatz, 1937 in der
Neustadt aufge-
nommen.

67 Der prominente Zug
außerhalb von Dres-
den; nach einer
Werbepostkarte der
Reichsbahn.

168 Gelegenheitsvorspann der Lokomotive 61 001 vor Schnellzug Berlin–Dresden mit Baureihe 01, um 1938.

169 Güterzug mit Lokomotive 58 1781 zwischen Klotzsche und Arnsdorf, Strecke Dresden–Görlitz.

170 Schnellzug D 62 Berlin–Prag–Wien mit Lokomotive 39 110 in Dresden.

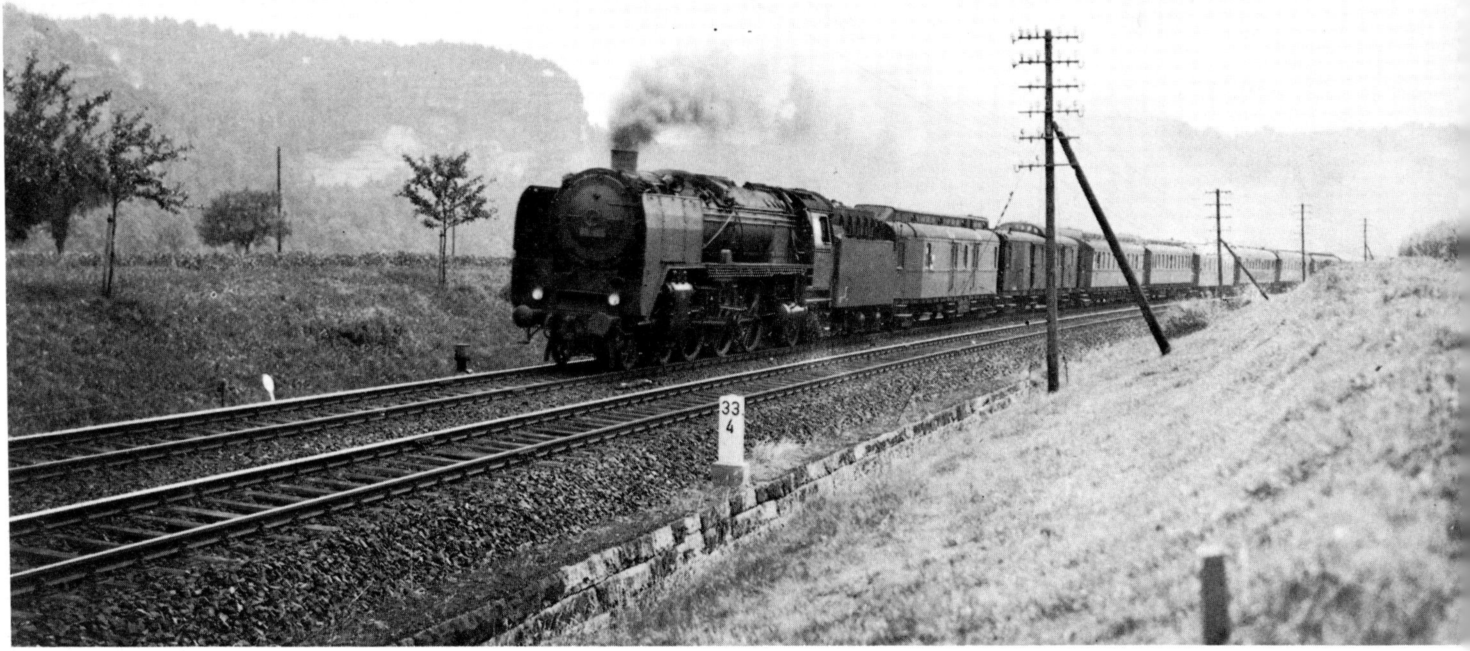
33
4

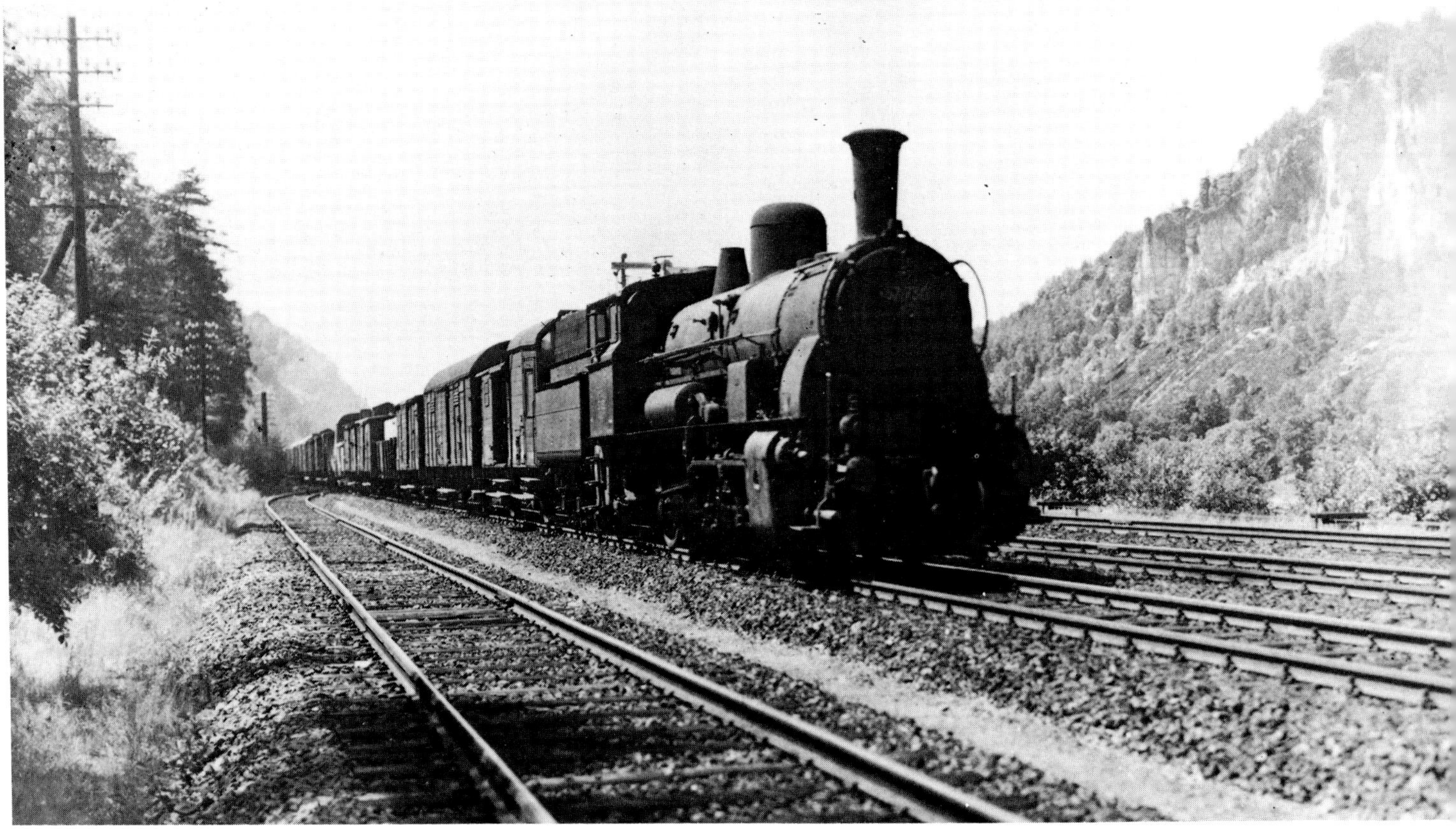

71 Weitere Szenen von
   der Strecke nach
   Böhmen: der Ge-
   genzug D 63 Wien–
   Berlin bei Kurort
   Rathen in der Säch-
   sischen Schweiz,
   Lokomotive 01 106.

72 Gleichfalls bei Kur-
   ort Rathen: Güter-
   zug mit Lokomotive
   57 730, einer vor-
   mals tschechischen
   Maschine.

73 P 8-Lokomotive vor
   sächsischen Abteil-
   Eilzugwagen an der
   Elbe, im Hinter-
   grund die »Bastei«.

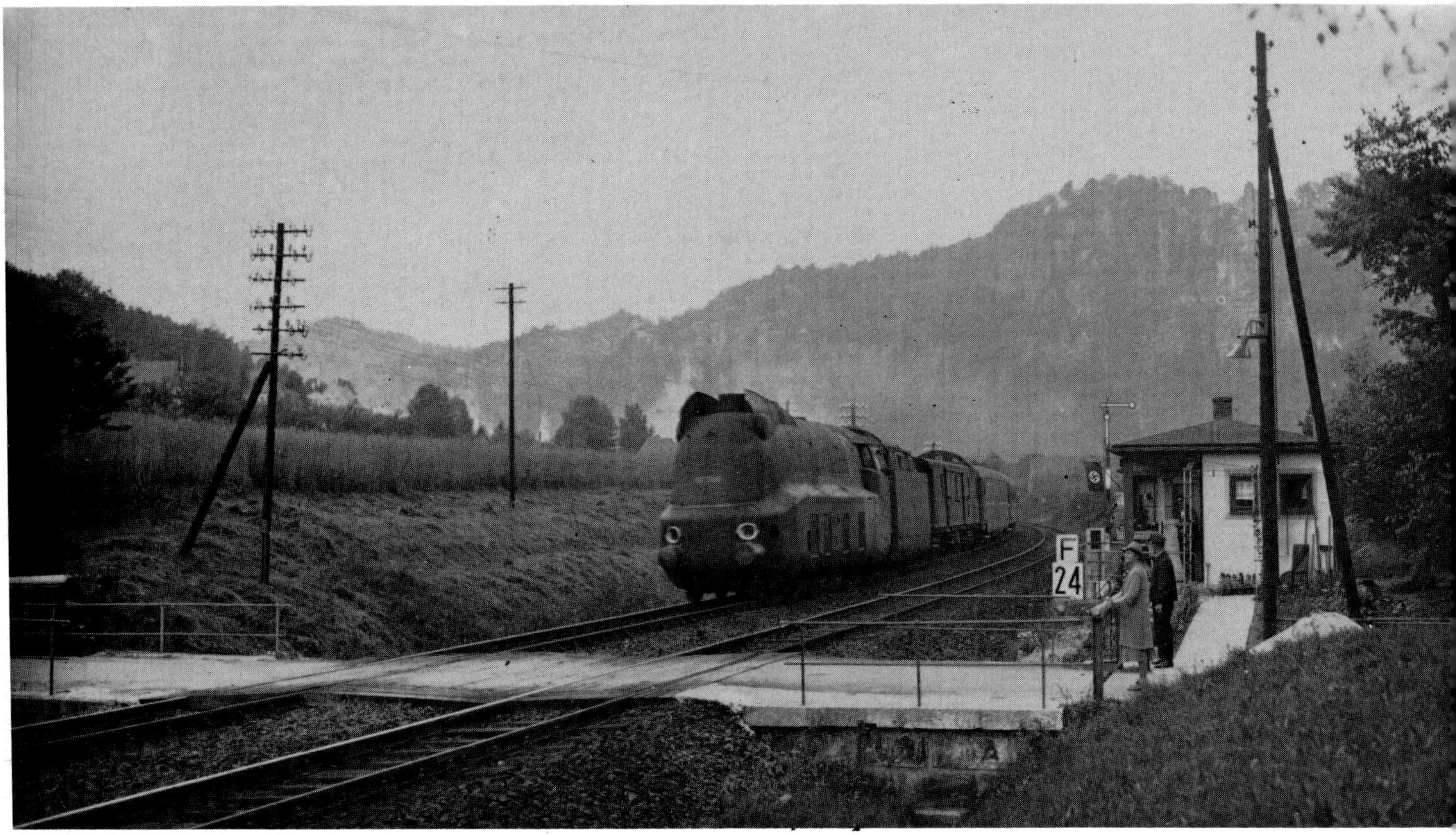
F
24

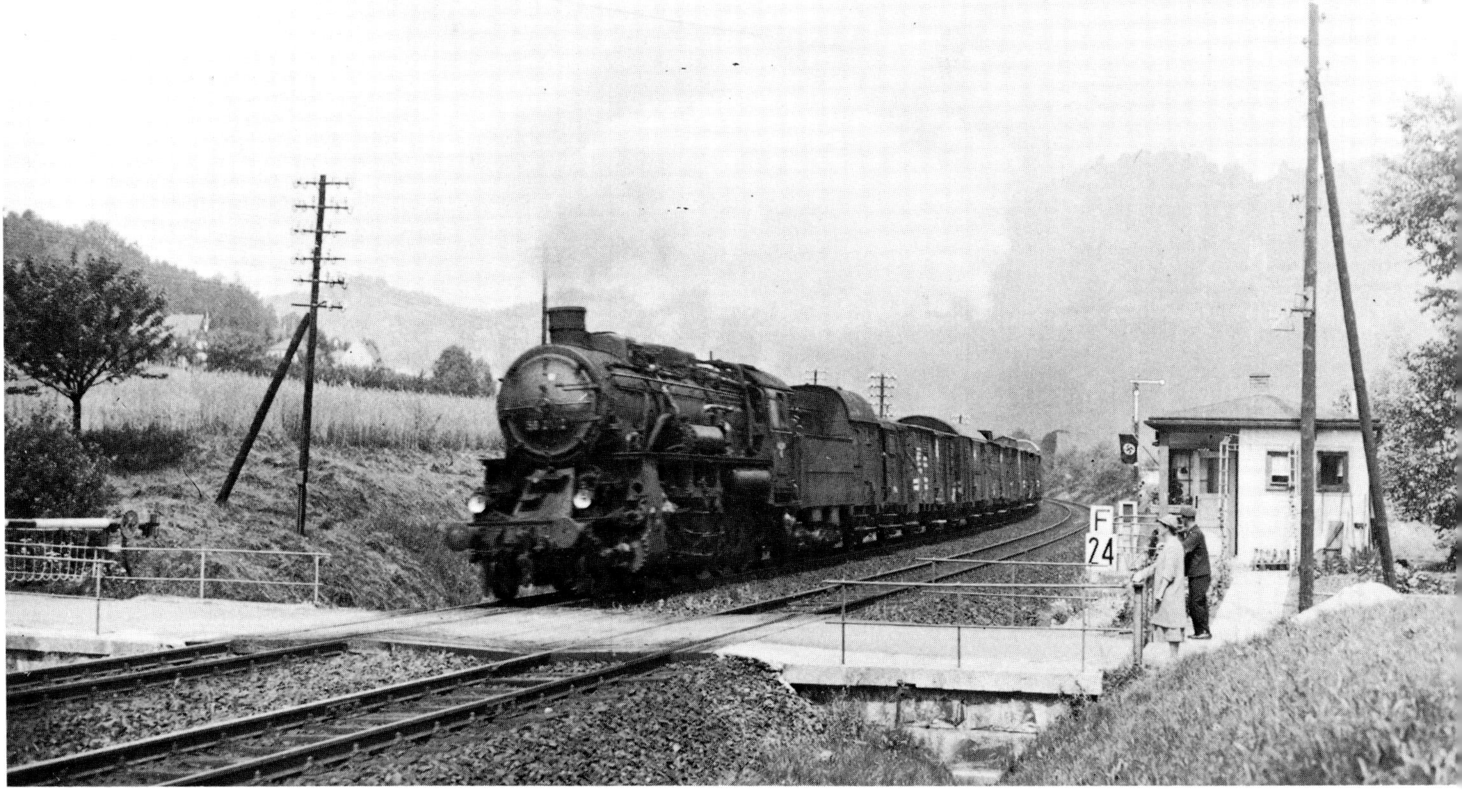
F
24

74 Drei Bilder von der
»Bastei« in der Säch-
sischen Schweiz, am
Vorabend des Krie-
ges aufgenommen:
Schnellzuglokomo-
tive der Reihe 01^{10}
vor einem Prager
Schnellzug.

75 Güterzuglok
58 2112 fährt im
Blockabstand.

76 Bald machte die
Baureihe 50, hier
Lokomotive 50 163,
der alten G 12 den
Rang streitig.

177 Vielfalt sächsischer
Schmalspurbahnen:
Kleinbahnlok
99 588 der Gattung
IV K in Meißen.

178 Kleinbahnzug der
Strecke Freital–
Wilsdruff mit Loko-
motive 99 646, von
Henschel 1919
gebaut.

179 Schmalspurlokomo-
tive 99 672 der Bahn
Hainsberg–Kips-
dorf, Henschel-
Nachbau der sächsi-
schen Gattung VI K
von 1924.

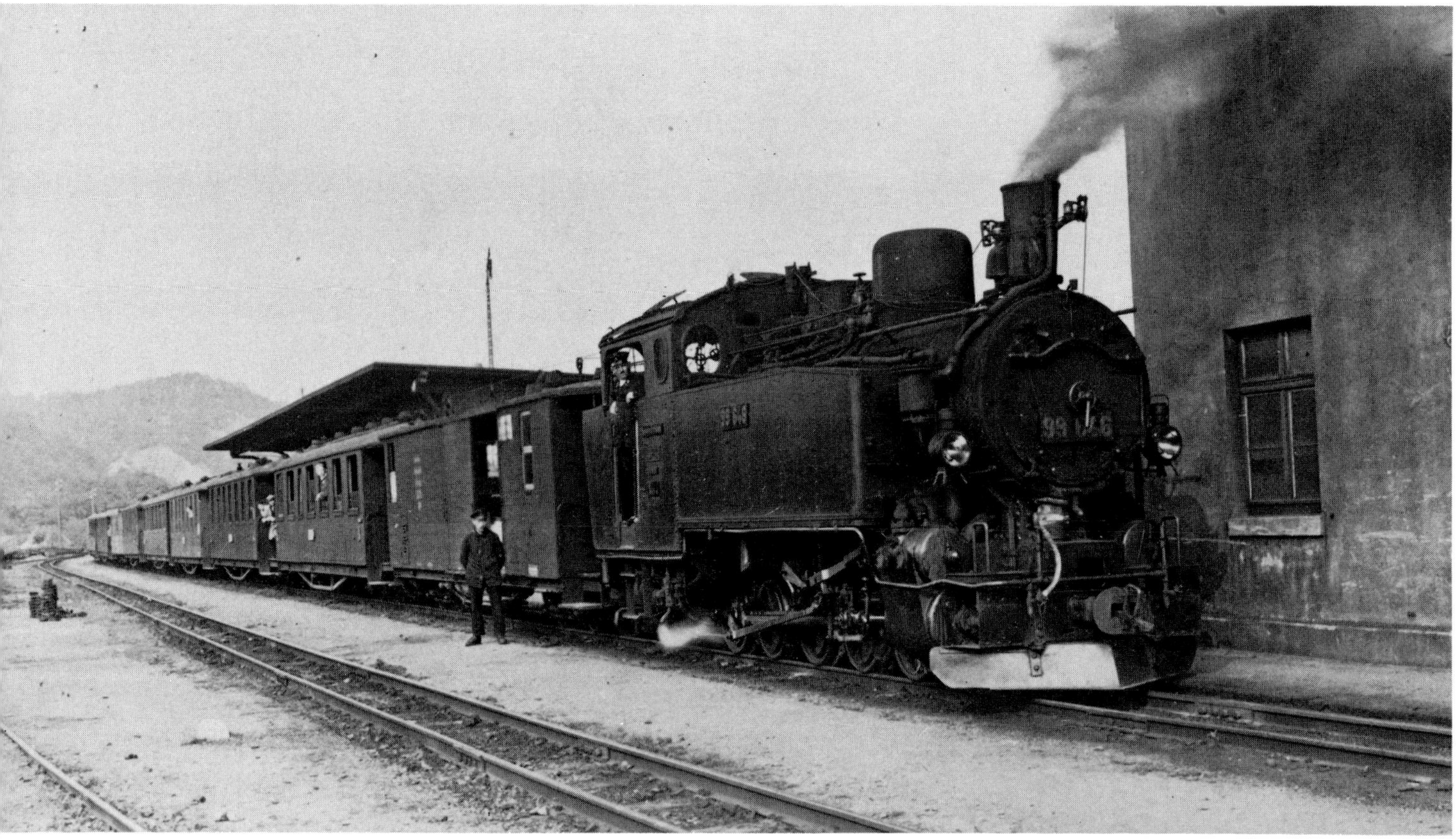

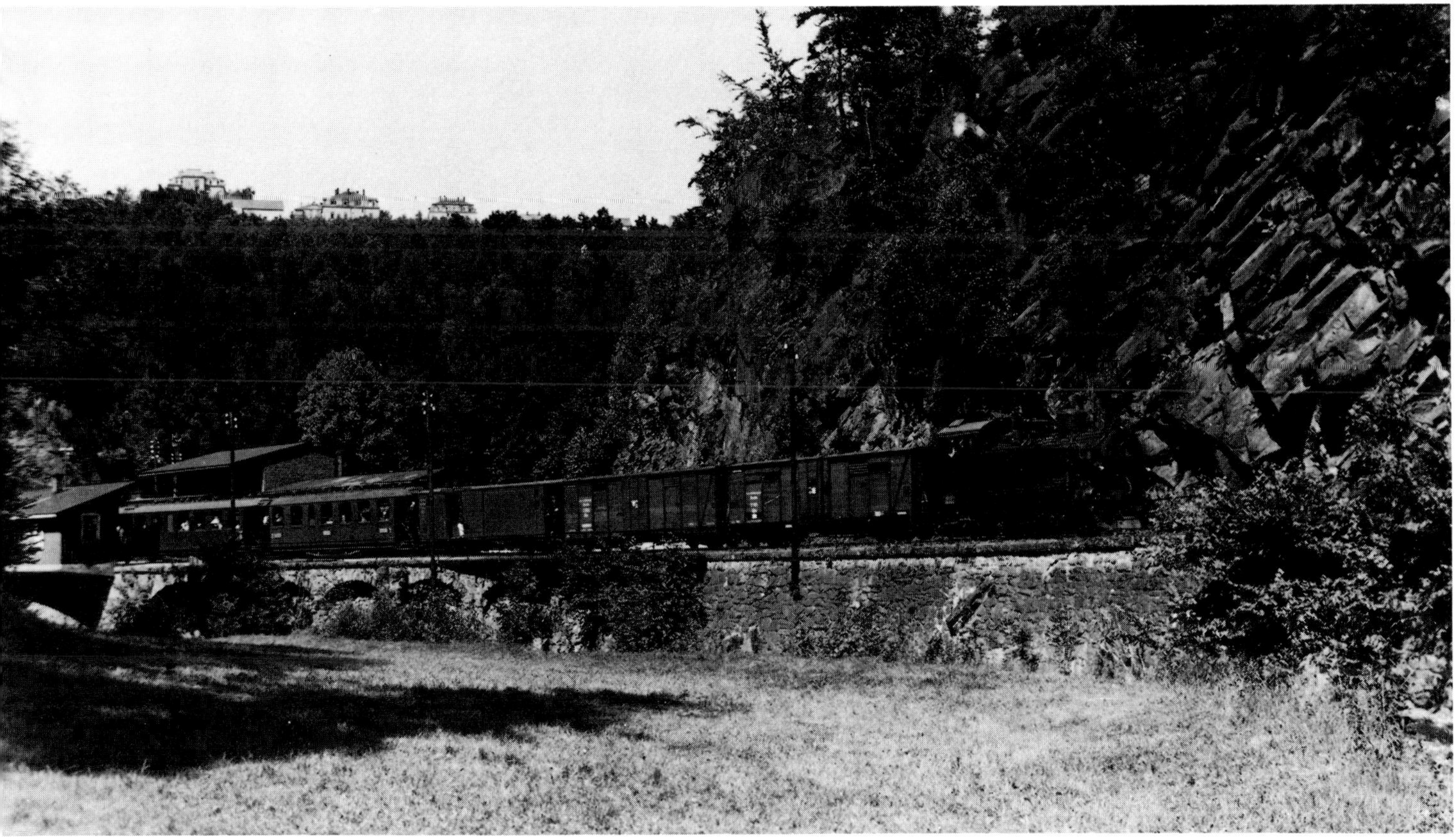

180 Die berühmte Schmalspurstrecke Heidenau–Altenberg, beliebtes Ausflugsziel der Dresdner, mit Sommerwagen im August 1934.

181 Ebenso reger Betrieb herrschte dort im Winter: Ausfahrt von zwei Nachbau-VI-K-Lokomotiven in Steigung 1 : 23 bei Geising. 1935 wurde mit dem Umbau der Müglitztalbahn auf Normalspur begonnen.

182 Sommerliche Doppeltraktion im Müglitztal. Es führt die Maschine 99 690.

183 Kleinbahn-Einheits-
lokomotive 99 749
in Zittau, Mai 1933.

184 Elektrische Schmal-
spur-Straßenbahn
der Reichsbahn zwi-
schen Sachsenberg-
Georgenthal und
Klingenthal, der
spätere ET 197 22.

185 Sächsische Fairlie-
Lokomotive 99 162
für die Strecke Rei-
chenbach–Ober-
heinsdorf.

KLINGENTHAL
Sachsenberg-Georgenthal
Klingenthal
2M
ET

99 162
R SCHUS

186 Die Lokomotive
38 4043 hilft im
Schnellzugdienst
aus: Vorspann für
19 022 vor D 124
Breslau–Dresden–
Hof bei Edle Krone
zwischen Tharandt
und Klingenberg.

187 Schnellzug D 110
Dresden–München
mit je einer preußi-
schen und einer

sächsischen Perso-
nenzuglok bei
Dresden.

162

88 Personenzug Chem-
    nitz–Dresden mit
    XII H 2-Lok 38 299 am
    Ufer der Weißeritz
    bei Tharandt.

189 Schnellzug Dres-
den–München mit
Lokomotive 19 018
auf der Steigung
1 : 80 bei Freital.

190 Eiltriebwagen mit
Beiwagen auf Bahn-
hof Flöha.

91/192   Heizer und Lo-
komotivführer auf
dem »Rollwagen«,
der Lokomotive

38 321 des Betriebs-
werks Chemnitz-
Hilbersdorf, 1925.

Von Leipzig nach Magdeburg

Leipzig. Hauptbahnhof

Mit dieser Streckenangabe von Leipzig nach Magdeburg sollen Lichtbilder bezeichnet werden, die überwiegend im Raum der Reichsbahndirektion Halle entstanden sind, und die nach dem größten Bahnhof des Kontinents mit seinen Lokomotiven und Zügen auch den Betrieb auf den elektrifizierten mitteldeutschen Strecken zeigen. Hier hatten die preußischen Elektroloks für das Flachland ihr Revier, und die Reichsbahn unterzog in diesem Bezirk viele ihrer neuen Maschinen den ersten Versuchsfahrten. Halle und Leipzig waren die Drehscheibe für den Verkehr zwischen Berlin und Süddeutschland, dort trafen preußische, sächsische, bayerische und Einheitslokomotiven zusammen.

193　Hauptbahnhof
　　　Leipzig in den drei-
　　　ßiger Jahren.

194　Lokomotive 02 006
　　　vor Schnellzug
　　　München–Berlin in
　　　Leipzig, um 1928.

195 Sächsische Tender-
lokgattung
XIV HT, Betriebs-
nummer 75 577, im
Leipziger Personen-
zugdienst.

196 Verschub mit
»Bulli«, der Loko-
motive 80 010, im
Leipziger Haupt-
bahnhof.

197 Straßenroller mit
Klappdeckelwagen
vor abgestellten Eil-
zugwagen in Leip-
zig. Im Hintergrund
der Rundlok-
schuppen.

198 Neubau der Werk-
stätte Engelsdorf im
Jahre 1921: auf der
Schiebebühne die
Lokomotive 80 der
Gattung XX HV.

199 Blick in die Loko-
motivabteilung des
Ausbesserungs-
werks Leipzig im
Jahre 1934. Repara-
tur der Gattungen
T 9³ und G 10.

200 Arbeitsaufnahme im
Ausbesserungswerk
Engelsdorf.

201 Benzol-Kleinloko-
motive Kb 4000 in
Leisnig, Juni 1932.

202 Motortriebwagen
713/714, ein früher
Probezug der
Reichsbahn, am
7. Juni 1929 in Tor-
gau; Baujahr 1926,
zwei 75-PS-Benzol-
anlagen.

203 Schnellzug mit 03-
Lokomotive auf den
Saaleflutbrücken bei
Halle.

Bilder vom elektrifi-
zierten mitteldeut-
schen Netz der
Reichsbahn: Ver-
suchslok E 16 101,
von Borsig und Sie-
mens 1926 gebaut.

205 Henschel-Siemens-
Probelokomotive
E 05 103 für den
leichten Schnellzug-
dienst im Flachland,
Baujahr 1933.

206 Prototyp E 44 001,
noch ohne amtliche
Nummernschilder,
bei Versuchsfahrten
in Roßlau 1931.

207 Schnellzuglokomotive E 06 04 am 9. Mai 1929 in Schkeuditz.

208 Jungfernfahrt mit dem Henschel-Wegmann-Zug am 31. Mai 1935 von Kassel über Magdeburg nach Berlin. Rechts eine Ellok der Reihe E 05.

209 Städteschnellverkehrs-Triebwagen für die Strecke Halle–Leipzig, spätere Reihe ET 41, Baujahr 1928.

Hannover

Im Schnittpunkt der Reichsbahn-Magistralen von Köln nach Berlin und von Hamburg nach Süddeutschland gelegen, bot Hannover dem Beobachter des Eisenbahnbetriebs dichtesten Schnellzugverkehr im preußischen Stil. Wie Werner Hubert in Dresden, so unternahm es Rudolf Kreutzer in Hannover, das Aussehen und den Wandel dieser Züge in den zwanziger und frühen dreißiger Jahren zu dokumentieren; er wirkte auch als Fotograf bei den Lokomotivfabriken Hanomag und Henschel. Zu dem Bild von Hannover gehört weiterhin, daß hier 1930 und 1931 der »Schienenzeppelin« von Franz Kruckenberg entwickelt und erprobt wurde, als die Reichsbahn für Versuche die noch nicht fertiggestellte Strecke nach Celle freigab.

210 Der Kruckenberg-
Propellerwagen vor
dem Hauptbahnhof
Hannover, 9. Mai
1931.

211 Rundschuppen im
Bahnbetriebswerk
Hannover Ost.
Schnellzuglokomo-
tiven 01 051, 01 053,
01 055, 01 057,
01 058, 01 060,
01 062 und 01 065
zu Beginn der drei-
ßiger Jahre.

212 Eine P 8-Lokomoti-   in Hannover, um
     ve vor dem D 131   1924.
     Bremen–Dresden
     beim Passieren der
     Continentalwerke

213 Schnellzug mit Lo-
     komotive 17 209 der
     Gattung S 10² vor
     der Abfahrt von
     Hannover.

14   Luxuszug L 111 der
Mitropa von Am-
sterdam nach Berlin
mit der Tenderlok
78 500 in Hannover.

215   Schnellzug D 11
„Nord-Expreß"
von Paris nach War-
schau in Hannover.
Lokomotive 39 118.

218 Eilzug E 184 Rotterdam–Hannover–Goslar mit Lokomotive 38 1716 in Hannover.

219 Schnellzug mit Lok 01 055 hat Ausfahrt.

220 Zwei P 10-Maschi-
nen bei 90 km/h Ge-
schwindigkeit vor
dem D 2 Berlin–
Köln.

221 Eilzug E 17 Hanno-
ver–Berlin mit Lo-
komotive 17 249 in
Hannover.

222 Schnellzüge der
Ost-West-Rich-
tung: Eilzug

223 Vorspann von P 8
vor P 10 am Schnell-
zug D 4 Berlin–
Köln in Hannover.

225 Vier Bilder von der Strecke bei Leinhausen: D 2 Berlin–Köln mit P 10-Lokomotive.

226 Schnellzug Berlin–Köln mit P 10-Maschine.

227 Schnellzug D 37
Hannover–Köln mit
P 10 und S 10² in
Leinhausen.

228 Personenzug Han-
nover–Wunstorf mit
G 10-Lokomotive
57 1568.

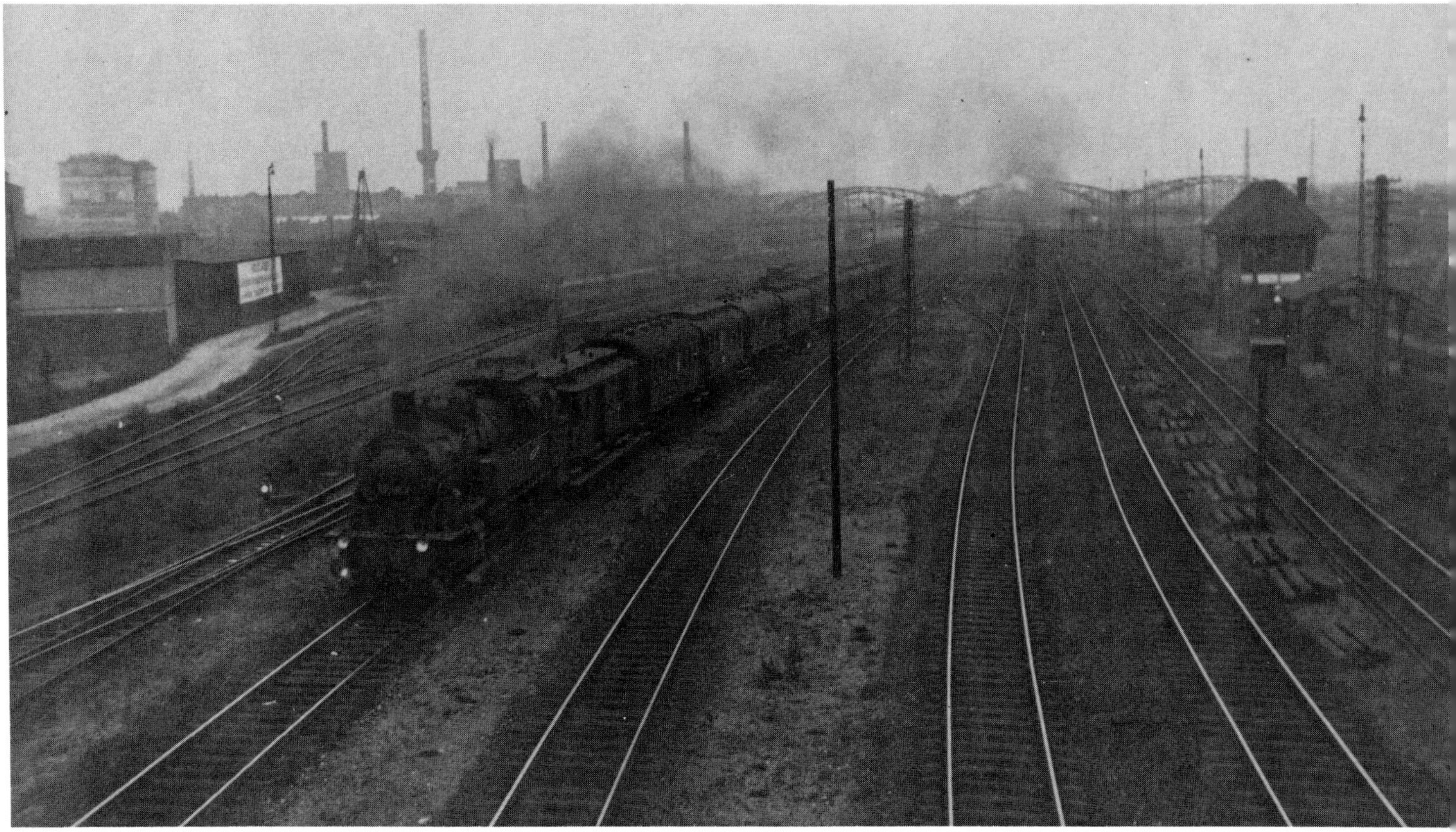

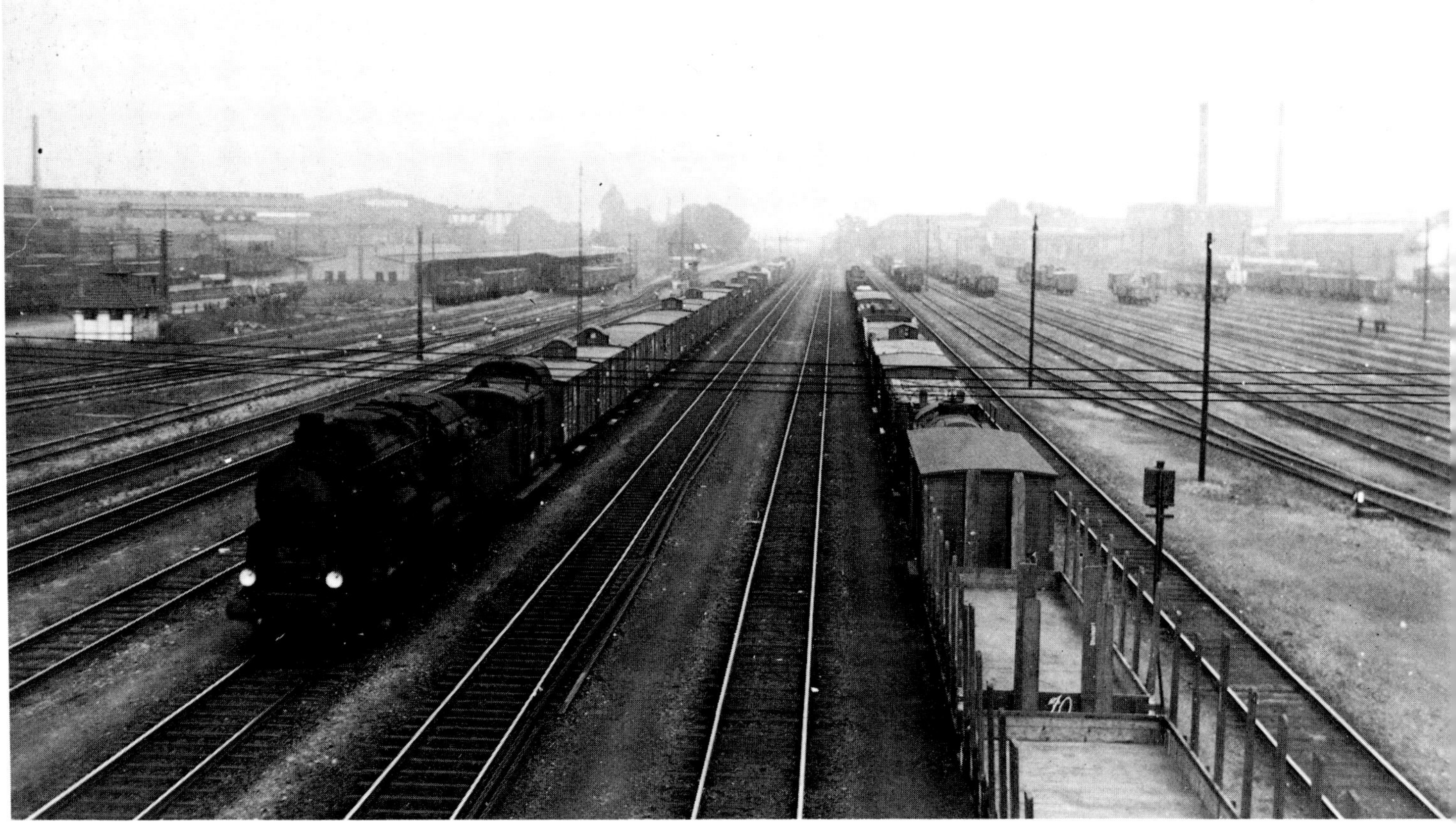

229 Drei Bilder vom Gü-
terbahnhof Hanno-
ver–Linden: Perso-
nenzug Hannover–
Barsingshausen hin-
ter Lokomotive
93 1021.

230 Güterzug mit G 8²-
Lokomotive Be-
triebsnummer
56 2163.

231 Wenige Augenblik-
ke nach Bild 229
entstanden: Güter-
zug mit Lokomotive
56 2028.

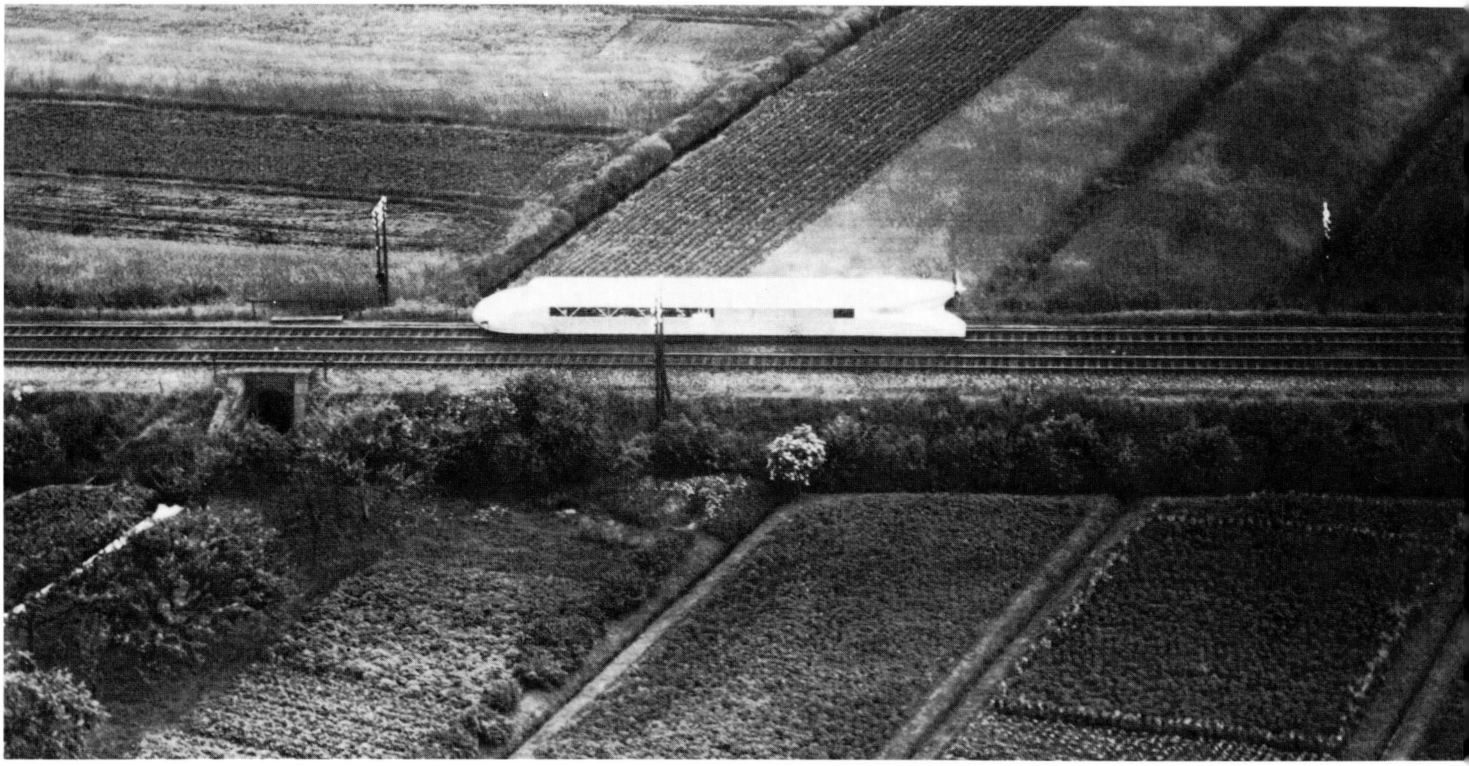

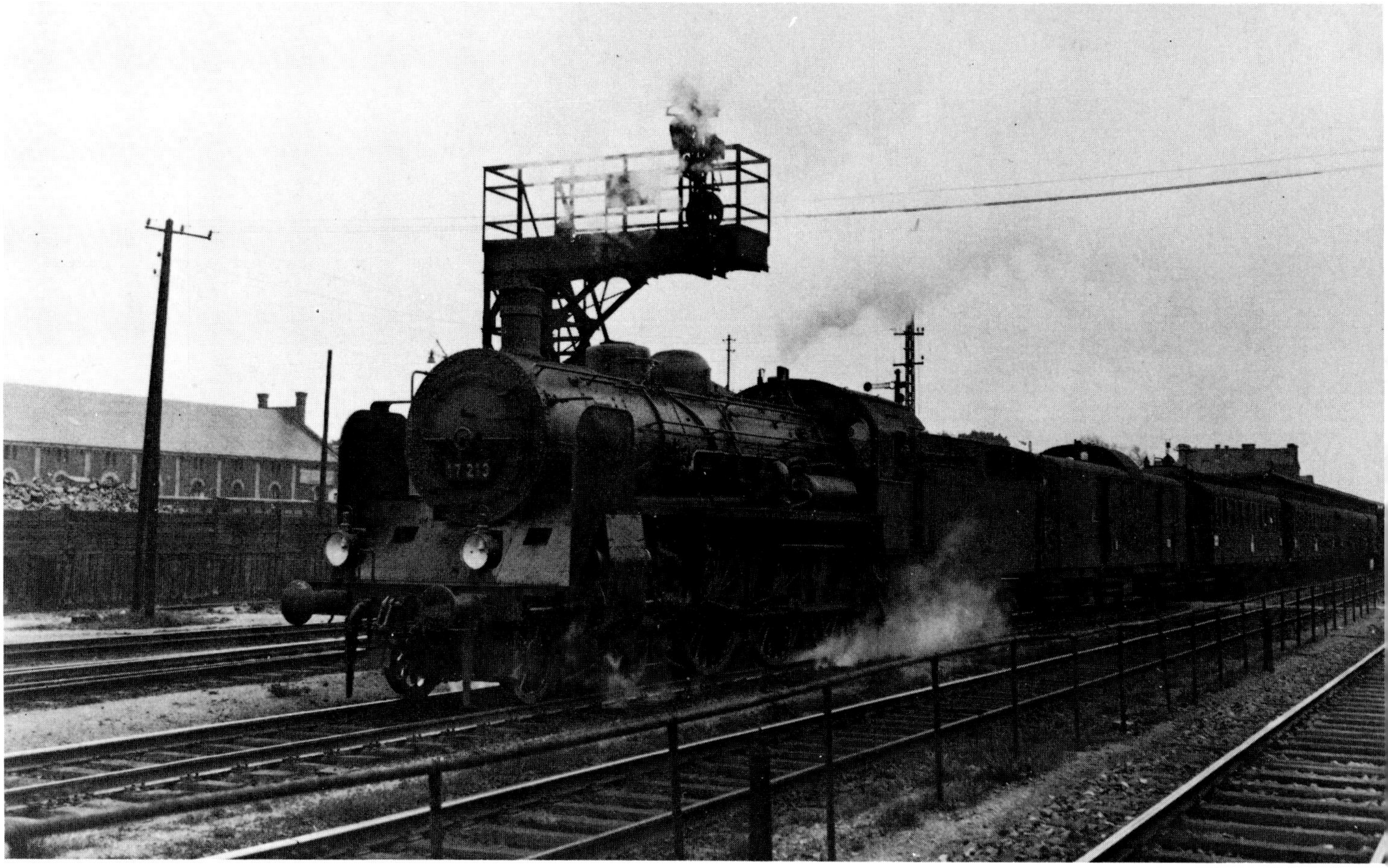

232 Szenen aus dem
Raum Hannover
von der Nord-Süd-
Strecke: Der „Schie-
nenzeppelin" auf
der Fahrt von Han-
nover nach Ham-
burg, 20. Juni 1931.

233 Schnellzug D 73
Frankfurt/M–Ham-
burg mit Loko-
motive 17 213
in Uelzen.

234 Auf Bahnhof
Schwarmstedt bei
Hannover. Perso-
nenzug nach Lang-
wedel, Lokomotive
38 2816.

235 Bei der Ausfahrt in
Lehrte: Schnellzug
D 74 Hamburg–
Frankfurt/M, beför-
dert von Loko-
motive 78 476.

236 Wieder eine P 10 im
     Schnellzugdienst:
     Lok 39 056 vor D 86
     Altona–Basel in
     Hannover.

237 Schnellzug D 90
     Hamburg–Mün-
     chen mit Lokomoti-
     ve 39 149.

238 Einheits-Tenderlokomotive 64 011 vor Personenzug in Seesen.

239 Lokomotive 78 386 vor Eilzug bei 90 km/h Geschwindigkeit.

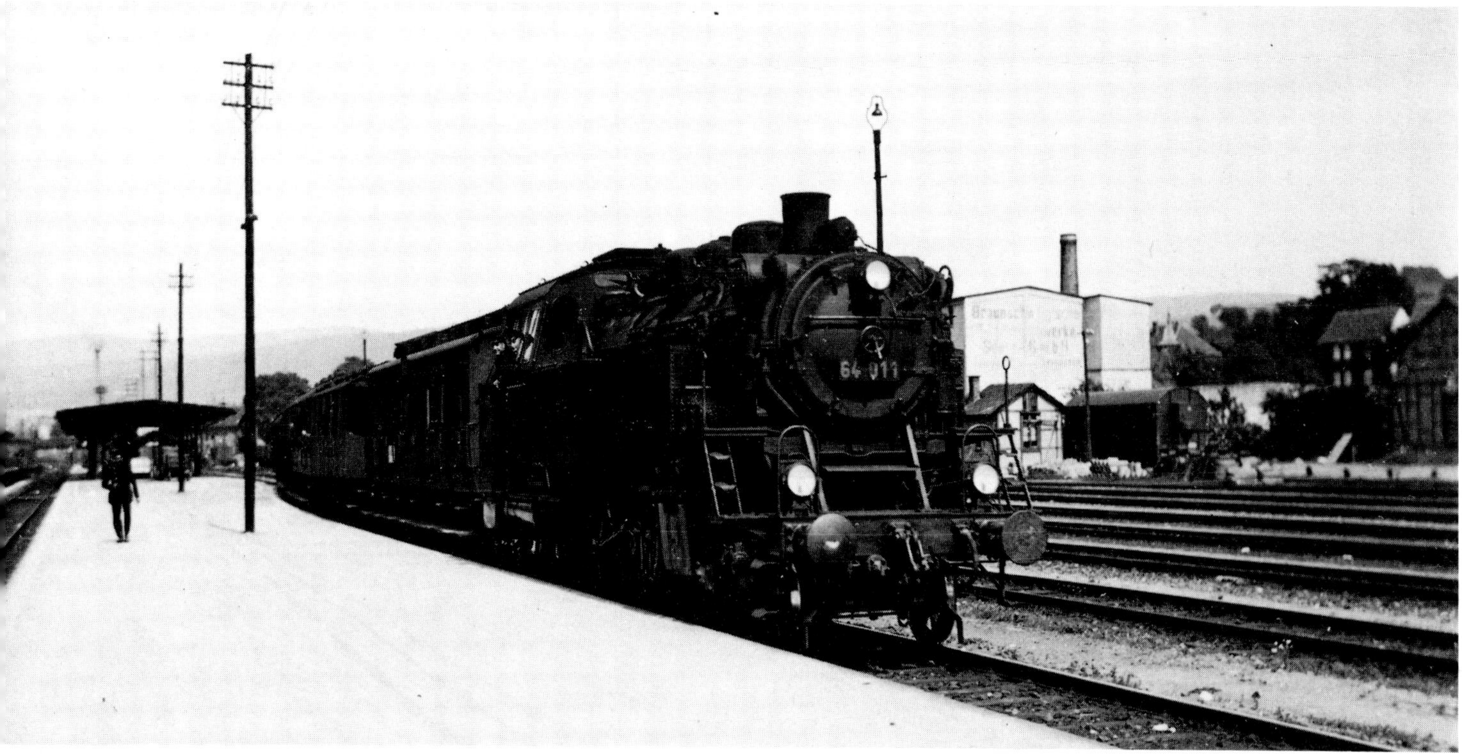

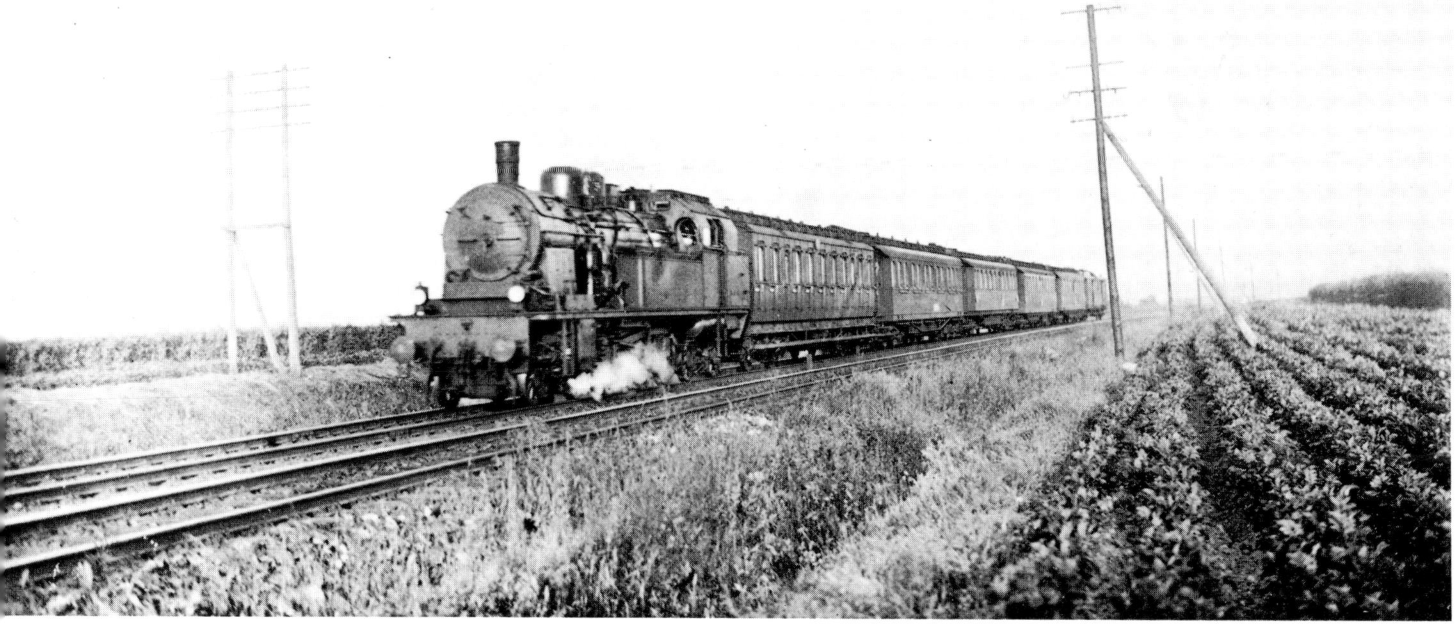

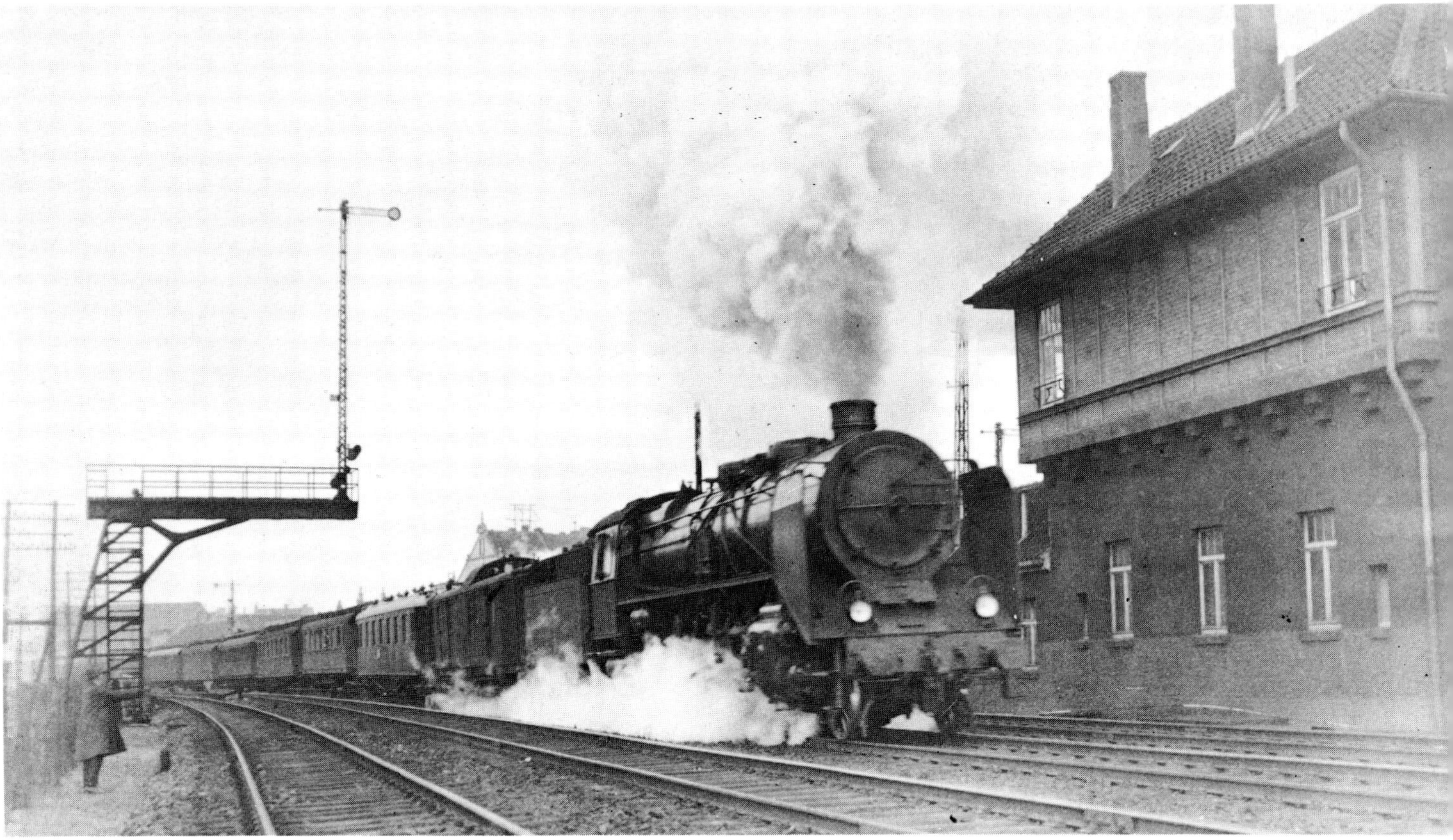

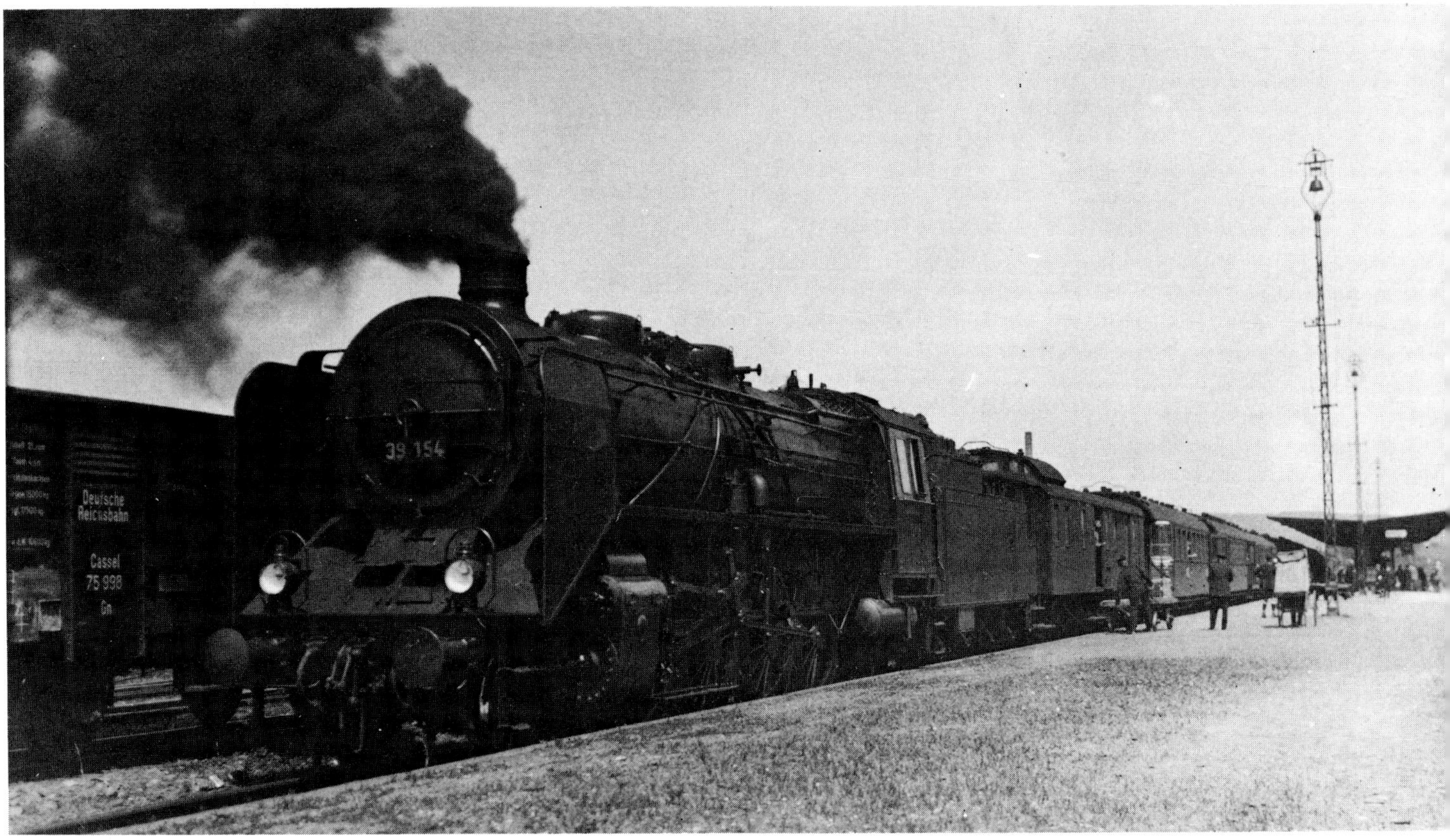
39 154
Deutsche
Reichsbahn
Cassel
75 998
Gn

40 Noch einmal der
Schnellzug D 90,
hier mit der Loko-
motive 39 048 in
Northeim.

41 Zwischenhalt des
D 90 Altona-Mün-
chen/Stuttgart in
Northeim.

42 Eilzug E 70 Hanno-
ver–Eichenberg–
Kassel–Gießen–
Frankfurt/M. im
Mittelgebirge.

Von Hamm nach Köln

Die Route von Hamm nach Köln soll einen kurzen Streifzug durch das Rheinisch-Westfälische Industriegebiet andeuten, dessen dichte Bahnanlagen mit seinen schweren Kohlenzügen, dem Ruhrschnellverkehr, aber auch den idyllischen Nebenstrecken im Bergischen Land noch eigener bildlicher Darstellung harren. Ihr soll hier nicht vorgegriffen werden, so daß wir uns auf wenige Fotografien beschränken.

243 Die neue Lokomotiv-Schiebebühne, 23 m Nutzlänge, Tragkraft 350 t, im Bahnbetriebswerk Hamm. Darauf die gleichfalls erst einige Wochen alte Schnellzuglok 01 002.

244   Schnellzug D 13
Köln–Berlin mit
Maschine 01 004 in
Hamm.

245   Stimmungsaufnah-
me aus dem Ruhrge-
biet: Schlot reiht
sich an Schlot.

246 Nochmals die neue   39 118, 39 119,
     Schiebebühne in   39 079, 39 078,
     Hamm: Blick auf die   38 2142, 39 082 und
     abgestellten Loko-   eine weitere P 10.
     motiven 38 3117,

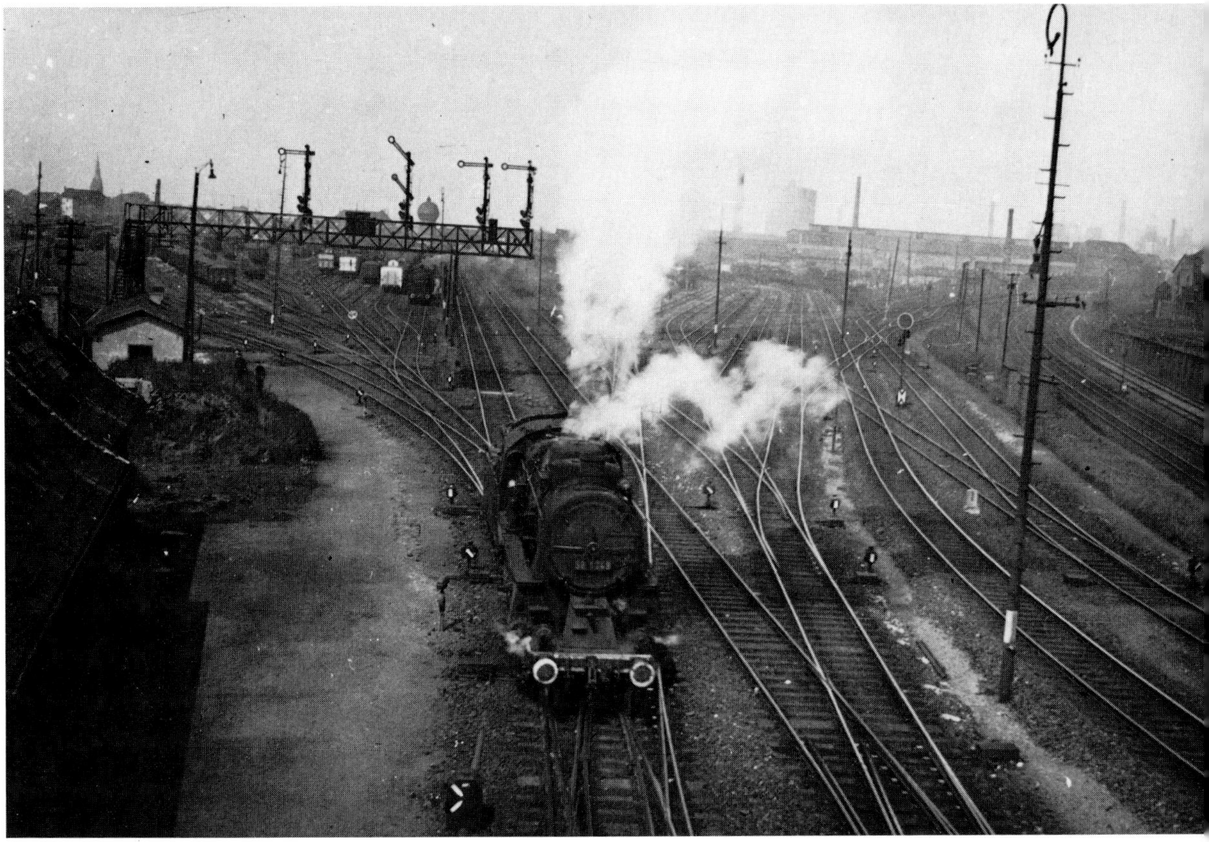

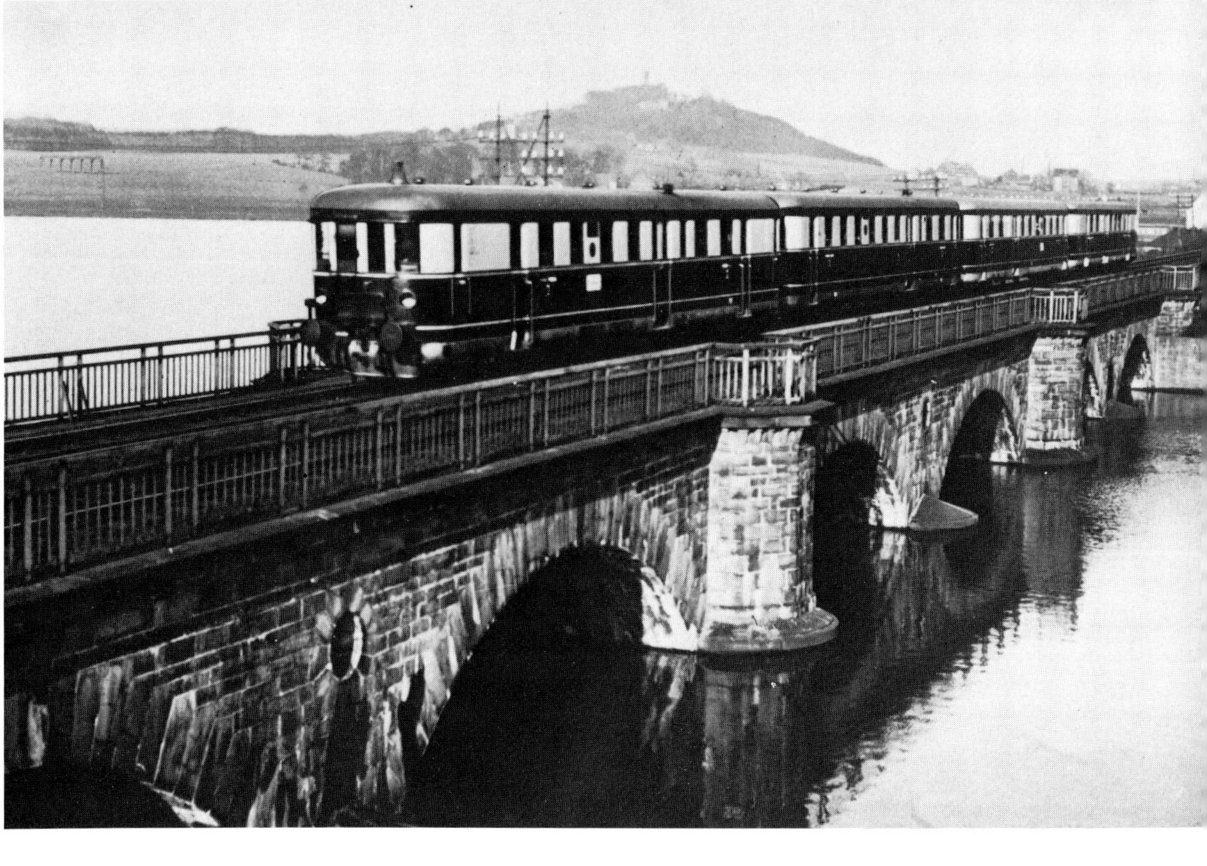

247 Verschiebebahnhof
Dortmunderfeld,
schon während des
Krieges aufgenom-
men. G 12-Loko-
motive 58 1249.

248 Ruhrtriebwagen auf
der Strecke Witten–
Hagen beim Über-
queren der Ruhr-
brücke von Wetter.

249 Schnellzuglokomo-
tive 01 070 bei der
Ausfahrt von Köln.

250 Erprobungsfahrt
mit dem Schnell-
triebwagen „Flie-
gender Hamburger"
zwischen Berlin und
Köln am 17. Juni
1934 zur Feststel-
lung von Fahrplan-
zeiten.

251 Aquarell von Franz
Kienmayer nach der
gleichen Vorlage,
1935 entstanden.

Linksrheinisch von Krefeld bis Mannheim

Die linke Rheinstrecke, deren Lauf bis nach Basel auch der »Rheingold«-Zug der alten Deutschen Reichsbahn folgte, war wegen ihrer landschaftlichen Reize ein beliebtes Ziel eisenbahnbegeisterter Fotografen. Zwischen dem Fluß und den Weinbergen, aber auch etwas abseits an der Mosel und in der Pfalz, entstanden Aufnahmen für das Reichsbahn-Werbeamt und die Fremdenverkehrszentralen, von denen uns einige erhalten geblieben sind. In Mannheim betreten wir bereits badisches Terrain, doch soll das Kapitel: Baden erst etwas später folgen. Schließlich sei hier auch kurz der Saarbahnen gedacht, die 1935 in die Reichsbahn übernommen wurden.

252 Doppeldrehscheibe im Betriebsbahnhof Köln mit Lokomotive der Baureihe 01, im Schuppen P 8-Maschinen.

253 Preußische S 10 Betriebsnummer 17 073 vor dem Flügelzug D 103 Aachen–Berlin in Krefeld, Aufnahme 1929.

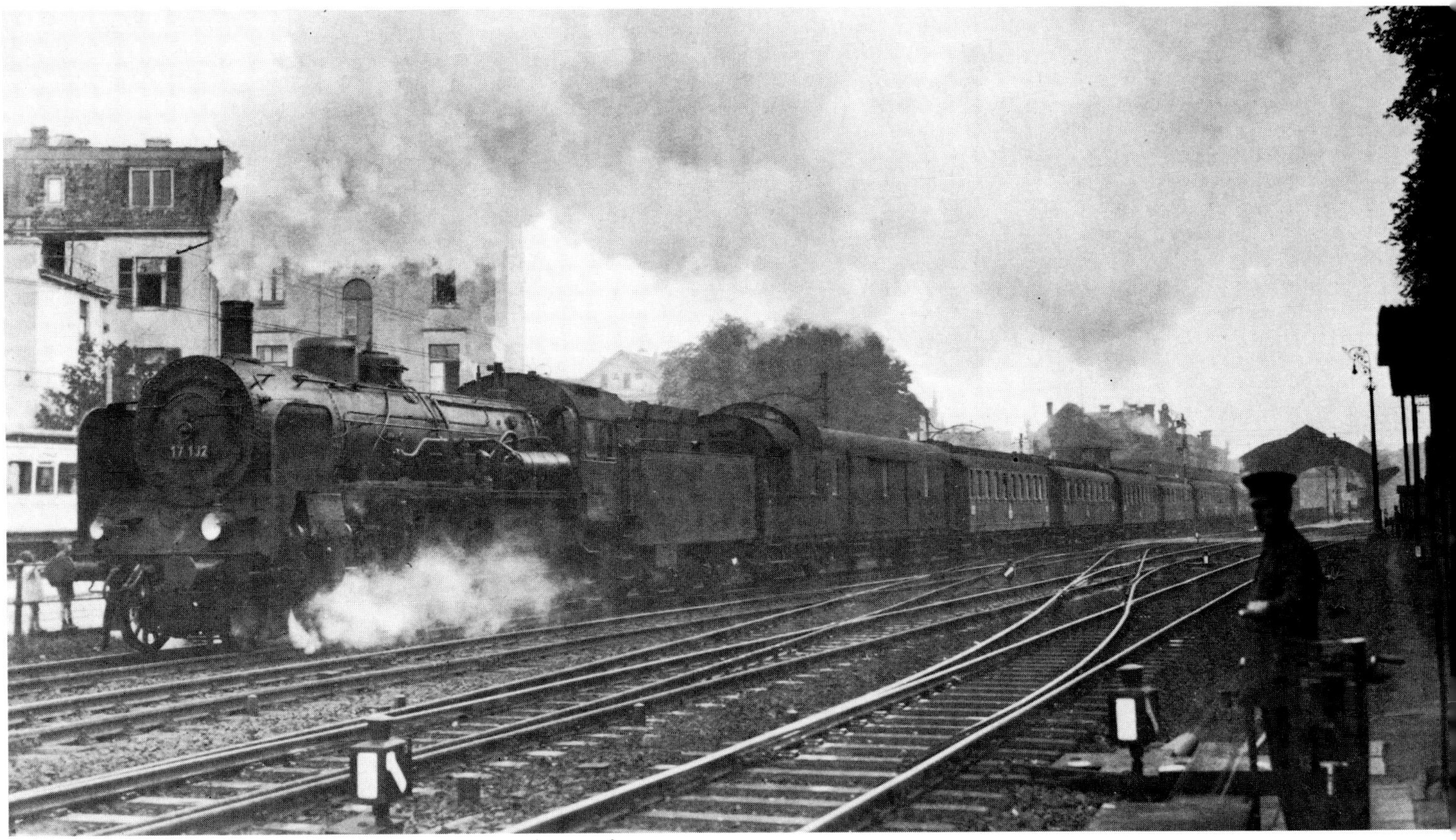
17 132

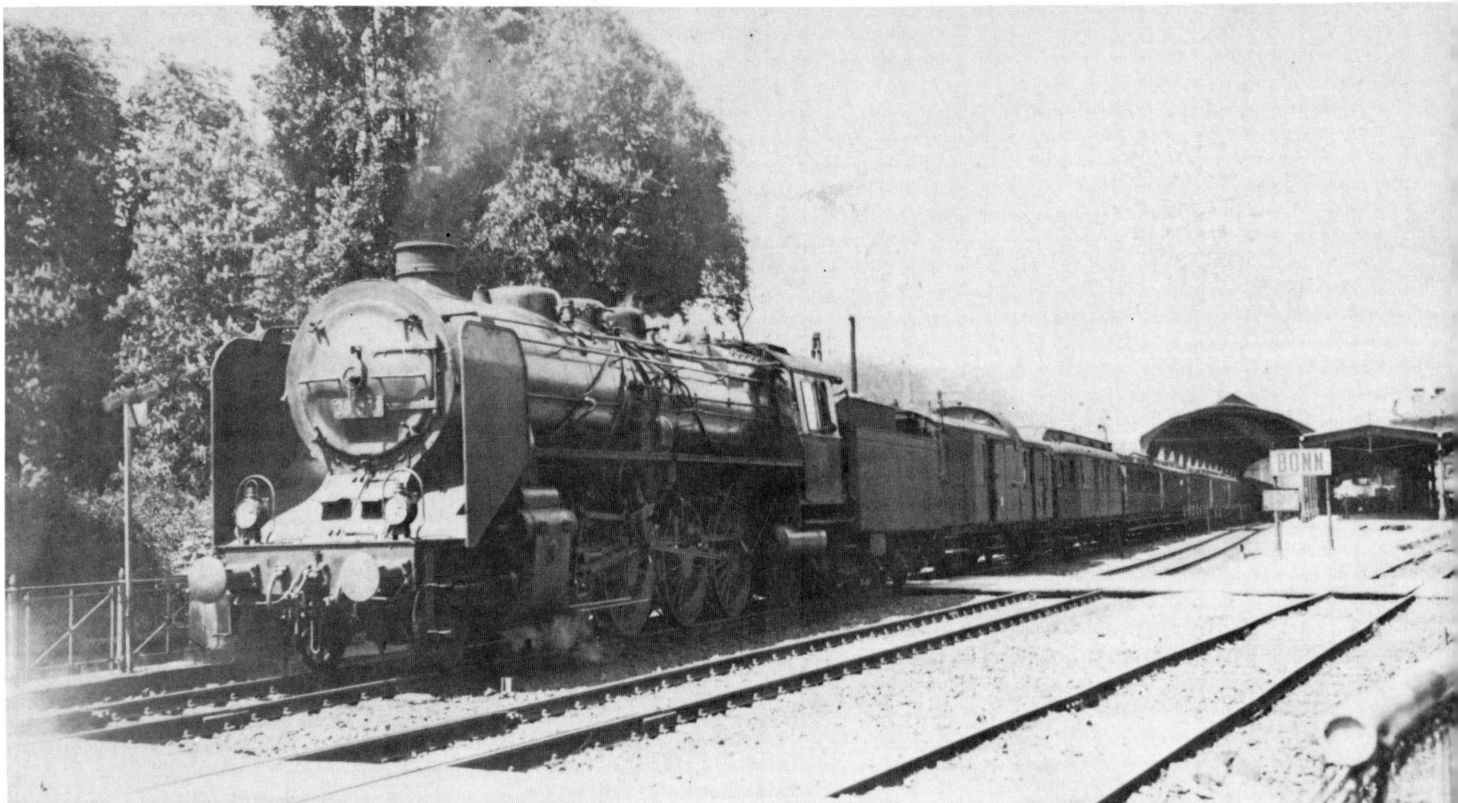
BONN

254 Schnellzug D 161
Ludwigshafen–
Köln, geführt von
Lokomotive 17 132,
in Bonn.

255 Eilzug E 114 Dort-
mund–Düsseldorf–
Köln–Mainz–
Frankfurt/M. in
Bonn. Lokomotive
39 081.

256 Aussichts-Diesel-
triebwagen VT
137 240 von der
Waggonfabrik
Fuchs, Heidelberg,
bei Burg und Tunnel
Monreal in der Eifel.
Man beachte das
Faltverdeck.

211

257 Die Moselbrücke bei
Eller: Großgüter-
wagen-Ganzzug
hinter der Lokomo-
tive 58 2175, etwa
1932.

258 Die noch mit Zahn-
stangen ausgerüstete
Steilstrecke Bop-
pard–Simmern
(1:17) wurde bei der
Reichsbahn von
T 16¹-Lokomotiven
mit Gegendruck-
bremse befahren,
hier die Maschine
94 1080.

59 Güterzug mit Lok 57 1221 bei Bacharach am Rhein.

260 Der Fernschnellzug FD 263 nahm seinen Lauf von München über Würzburg, Frankfurt/M., Mainz, Köln, Düsseldorf, Oberhausen, Emmerich und Rotterdam nach Hoek van Holland. Zuglokomotive 17 039.

261 Blick auf die Einfahrt in Bingerbrück. Rechts Lokomotive 38 3548.

262 Die preußische Güterzuglok 55 452, Gattung G 7¹, vor dem Schuppen und dem Stadtbild von Bingerbrück.

263 Gemischter Zug bei
der Ausfahrt von
Bingerbrück, an der
Spitze die G 7¹ von
Bild 262.

264 Anzeige des Perso-
nenzuges 1330
Köln–Koblenz–
Mainz–Frankfurt/
M. in Bingerbrück,
Abfahrt 15.47 Uhr.

265 Einfahrt des Eilzugs
E 114, der uns schon
in Bild 255 begegnet
war, in Bingerbrück.
In den dreißiger Jah-
ren war er häufig mit
P 8 und S 3/6 aus
Wiesbaden be-
spannt.

266 Der Zeitungsver-
käufer in Binger-
brück. Eilzug E 114.

267 Bayerische Schnell-
zuglok 18 509, aus
einer Maffei-Liefe-
rung von 1927 stam-
mend, vor dem
Schnellzug D 304
Köln–Frankfurt/M.
in Bingen.

268 Eine sehr seltene Lo-
komotive: Maschine
76 008 der Gattung
T 10, von der nur
zwölf Exemplare ge-
baut wurden, vor ei-
nem Personenzug
Alzey–Bingerbrück
auf Bahnhof Die-
tersheim.

269 Blick in die Halle des Mainzer Hauptbahnhofes: Links die badische IV h-Lokomotive 18 326, daneben die 78 015, rechts der 150-PS-Dieseltriebwagen 858, von der Waggonfabrik Wismar 1927 hergestellt.

270 Zwei P 8-Lokomoti-
ven im Mainzer Per-
sonenzugdienst.

271 Schnellzughalt in
Mainz Hbf.

272 Szene in Mainz.

273 Auf dem Bahnsteig in Mainz Haupt-bahnhof.

274 Der Gepäckträger,
     hier in Mainz.

275 Lokomotivpflege
     durch den Heizer.

76　Die 1927 erbaute
　　Schiebebühne im
　　Hauptbahnhof
　　Mainz. Auf der
　　Bühne die Lokomo-
tive 39 090 vom
Bahnbetriebswerk
Frankfurt/M. 1.

232

279 Im Jahre 1924 erhielt auch Mannheim eine 23-Meter-Drehscheibe nach den Bestimmungen der Reichsbahn. Die darauf gewendete Lokomotive IV h 1001 aus dem Betriebswerk Offenburg trägt noch die bald wieder aufgegebene Beschriftung „Deutsche Reichsbahn/Karlsruhe«. Es ist die spätere 18 312.

280 Die gleiche Dreh-
scheibe wie zuvor,
nun mit der Loko-
motive 38 3093. Im
Hintergrund der
Personenbahnhof
Mannheim.

1 Blick auf Mannheim
Hbf.

282 Schiebebühne im
Betriebswerk
Mannheim Rangier-
bahnhof, dahinter
die Lokomotiven

70 103 (badische
I g), 92 294 (badi-
sche X b) und
92 217 (ebenso),
1933 eingebaut.

283 Stimmungsvolle
Aufnahme der IV h
Maschine 18 324 in
Mannheim Rangier-
bahnhof.

284 Die 1927 errichtete
Schiebebühne im
Lokomotivschup-
pen von Kaiserslau-
tern, darauf die Ma-
schine 38 2919.

285 Ein Blick zu den bis
1935 selbständigen
Saarbahnen: T 18
vor Personenzug in
Oberlinxweiler.

286 Bahnhof Türkis-
mühle im Saarland,
von Süden gesehen.
Hier wurde 1937 die
Neubaustrecke Tür-
kismühle–Kusel er-
öffnet. T 18 und P 8
beherrschen das
Bild.

Rüdesheim und Wiesbaden

Mit einem Abstecher in diese beiden Städte am Rheingau erreichen wir nun hessischen Boden. Noch aus der Länderbahnzeit, als das Gebiet von der Gemeinschaftsdirektion Mainz verwaltet wurde, stammen viele preußische Fahrzeuge, Bauwerke und Streckenausrüstungen. Hier sei auch an die klassische kurze Schnellzugstrecke Frankfurt/Main–Wiesbaden gedacht, die für Preußen mehr als einmal der Anlaß zum Bau besonderer Tenderlokomotiven war, und von denen sich dann schließlich die Gattung T 18 durchsetzte. Die Rückreise mit einem solchen Zug bildete den abendlichen Abschluß einer typischen Rheindampferfahrt zur Loreley, zum Niederwalddenkmal und den Weinorten zwischen St. Goarshausen und Eltville.

287 Die rechte Rhein-
     strecke: Güterzug
     mit Lokomotive
     56 2047 in Rüdes
     heim.

288 Ankunft des
     Schnellzugs D 164
     Amsterdam–Kleve–
     Köln–Wiesbaden–
     Mainz–Ludwigsha-
     fen–Heidelberg–
     Karlsruhe–Basel in
     Rüdesheim.

289 Blick auf die Wagen-
garnitur des D 164
mit dem Speise-
wagen.

290 Vor der Abfahrt des
Personenzuges in
Rüdesheim.

291 Eilzug nach Wiesbaden passiert den Bahnübergang Rüdesheim.

292 Begegnung in Rüdesheim: 01 auf der Fahrt nach Norden, T 14[1] auf dem Weg nach Süden. Auch die alte Brücke im Hintergrund steht heute nicht mehr.

293 Poetische Stimmung: Dampfzug mit Lokomotive 78 014, die gläsernen Bahnsteighallen von Wiesbaden vor der Kulisse der Taunusberge.

294 Besonders auch für den Kurzstreckenverkehr zwischen Wiesbaden und Frankfurt/M. geschaffen: die preußische Tenderlokomotive T 18 im Bezirksverkehr.

295 Lokomotive 18 537 des Betriebswerks Wiesbaden bei der Ausfahrt vor einem Schnellzug über die Rheinstrecke. Die Maschine wurde 1930 von Henschel & Sohn erbaut.

296 Lokomotivführer
und Heizer der Ma-
schine 18 531, der
ersten von Henschel
gelieferten S 3/6-
Lokomotive. Sie
war der Direktion
Mainz und dem Be-
triebswerk Wiesba-
den zugeteilt.

297/298 Treibradsatz
der S 3/6-Maschine
18 507 im Stand und
in Bewegung.

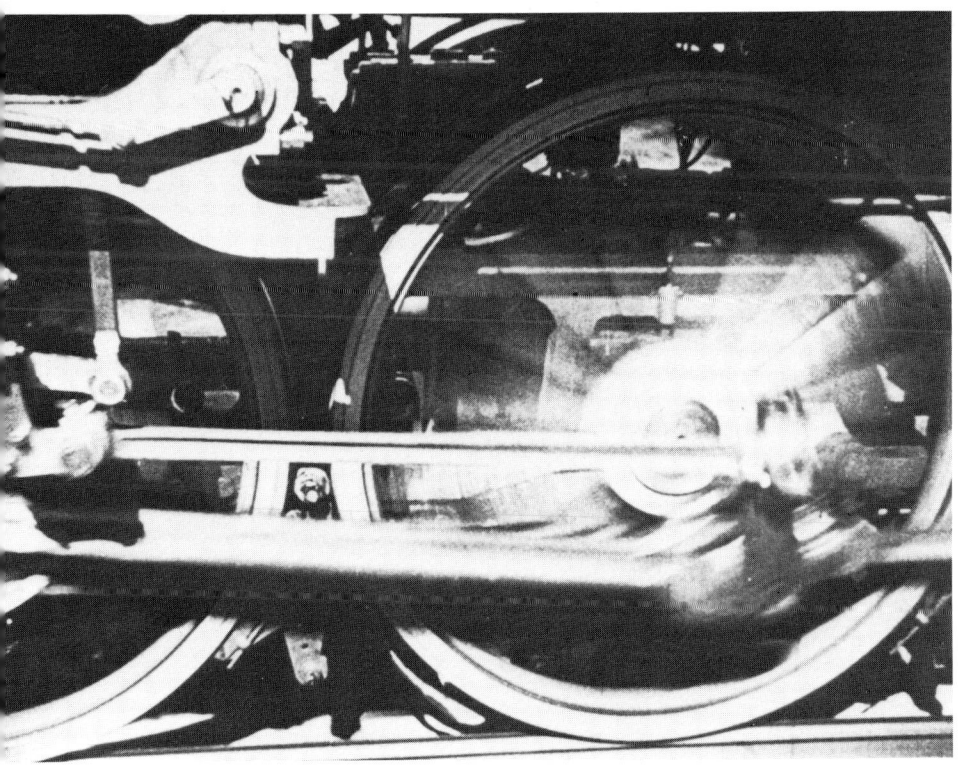

Frankfurt am Main

Der Hauptbahnhof in Frankfurt am Main, dessen drei Betriebswerke bereits Gegenstand eines der einleitenden Kapitel waren, war nach Leipzig der zweitgrößte Bahnhof der Reichsbahn. Zu Beginn der zwanziger Jahre erst durch die beiden seitlichen Hallen erweitert, war er bereits um 1935 wieder überlastet: die vier Befehlsstellwerke behandelten täglich 560 planmäßige Zugfahrten, ferner die Bewegungen der Leerzüge und Lokomotiven. Aus neun zweigleisigen und zwei eingleisigen Strecken war eine Vielzahl von Kurswagen, Post- und Eilgutwagen umzustellen; oft genug von den hier ansässigen Fotografen der Firma Dr. Wolff & Tritschler für die Reichsbahn aufgenommen.

299 Der Frankfurter
Bahnhofsvorplatz
anfangs der dreißi-
ger Jahre. Vorn die
Hotels Hohenzol-
lern und Carlton,
links der Rundbau
des Zirkus Schu-
mann, ganz im Hln-
tergrund der Main.

300 Vor der Abfahrt des
Berliner Schnellzu-
ges aus der südlich-
sten Bahnsteighalle
in Frankfurt/M.

301 Ruß und Staub im
Spiel des Lichts:
Frankfurt Haupt-
bahnhof.

302 Einheitslokomotive
01 043 vor dem D 27
Frankfurt/M–Kas-
sel in der Mittelhalle
des Hauptbahnhofs.

303 Szene am Gepäck-
bahnsteig.

304 Schwere Schnellzug-
lokomotive 06 001,
im Sommer 1939
beim Bahnbetriebs-
werk Frank-
furt/M. 1 für
die Berliner Schnell-
züge eingesetzt.

305 Die Signalbrücken
und die Einzel-
stellwerke in
Frankfurt/M.:
Typisch für die
Jahre vor dem
Krieg.

306 Rangierlokomotive
der Gattung T 9³ im
Frankfurter Haupt-
bahnhof.

307/308 Abfahrtszenen
vor den Frankfurter
Bahnhofshallen.

Beim Eintreffen von
der Main-Neckar-
Bahn entstand diese
Aufnahme von der
Westseite des
Frankfurter Haupt-
bahnhofs.

0 Rangieraufgaben im
Hauptgüterbahnhof
Frankfurt/M. löst die
T 9³-Lokomotive
91 1264.

1 Eilzug mit
P 8-Doppeltraktion
am Abzweig Main-
Neckar-Brücke.

312/313 Preußische
T 14¹-Lokomotiven
im Nahgüterverkehr
und im Personen-
zugdienst bei Frank-
furt/Main, unten
Lok 93 1061 in Bad
Schwalbach.

314 Personenzug mit
Lokomotive 17 106
passiert die Block-
stelle Main-Neckar-
Brücke.

Im hessischen Mittelgebirge

Eigene landschaftliche Reize bot dem Reisenden das
deutsche Mittelgebirge, eigene betriebliche Schwierig-
keiten auch dem Lokomotivdienst der Reichsbahn, galt
es doch im schweren Schnellzugverkehr, eine für das
Hügelland und die angrenzenden flachen Strecken
gleichermaßen geeignete Maschine zu entwerfen. Mit
der preußischen P 10 war wohl ein solcher Typ
vorhanden, an einer gelungenen Nachfolgerin fehlte es,
andere Bauarten konnten sich kaum durchsetzen, so
daß Vorspannfahrten, auf einigen Rampen sogar
Schiebelokeinsätze, im hessisch-thüringischen Berg-
land, im Spessart, im Frankenwald und anderswo zum
täglichen Bild gehörten.

315 Fünf Szenen aus dem Bahnbetriebswerk Gießen, 1935 aufgenommen: Beladung von Kohlenhunden aus dem Güterwagen.

316 Bekohlung der Lokomotive 78 405. Der Kohlenkasten faßt 4,5 t.

317 Kontrolle eines Gleitachslagers.

318 Instandsetzung des Kohlenladekrans.

319 Reinigung von Reisezugwagen.

320 Schrankenwärterpo-
sten bei Limburg.

321 Schienenauto zur
Streckeninspektion;
jugendliche Eisen-
bahnfreunde des
Jahres 1937.

324 Blick aus dem fahrenden Zug auf eine Gleisbaurotte.

325 Dienst im Gleisbau. Noch immer herrscht Handarbeit vor.

326 Am Wohnwagen des Gleisbauzuges.

327 Läutewerk und Telegrafenmast, zwei typische Requisiten der Überlandstrecken.

328 In der Lokomotiv-
fabrik Henschel 1937:
Güterzugloks für
Persien und Süd-
amerika, daneben die
Reichsbahnlokomo-
tiven 44 099 und
61 002.

329 Schmidt-Henschel-Hochdrucklokomotive H 17 206, umgebaut 1926, vor der Abfahrt von Kassel Hauptbahnhof.

330 Umgebaute P 8-Lokomotive mit Turbinentriebtender T 38 3255 im Einsatz vor Eilgüterzug bei Kassel.

331 Der Henschel-Schienenomnibus, Bauart 1931, der Kleinbahn Grifte-Gudensberg im Bahnhof Wilhelmshöhe.

332 Henschel-Doble-Dampftriebwagen DT 51 auf der Hannoverschen Südbahn zwischen Dransfeld und Hann.-Münden, hinten rechts der Hohe Hagen.

278

333 Ausfahrt vom
Stammwerk Kassel
der Firma Henschel:
Eine Schnellzuglo-
komotive der
Reihe 01 und die
Mitteldruck-Ver-
suchsmaschine
44 011 werden 1931
abgeliefert.

334 Auf dem Weg in den
Reichsbahnbetrieb:
Lokomotive 61 001
im Mai 1935 in
Kassel.

335 Personenzug mit
Lokomotive
38 2054 auf Halte-
punkt Rengershau-
sen bei Kassel.

Schnellzuglok
01 072 vom Be-
triebswerk Bebra
verläßt den Tunnel
bei Werleshausen an
der Werra.

337 Der Schnellzug mit
P 10-Lokomotive
im Mittelgebirge.
Farbzeichnung von
Hans Baluschek aus
dem Jahre 1934.
Nach einem Motiv
in Suhl.

338 Steilrampenloko-
motive 95 044 im
Güterzugdienst bei
Erfurt.

339 Zwischenhalt des
Berliner Schnellzugs
auf einem Bahnhof
im Mittelgebirge.
Zuglokomotive der
Reihe 01, Vorspann
durch eine P 10.
Rechts der Anschluß-
eilzug mit P 8,
Nummer 38 3958.

343 Die erste Kohlen-
staublokomotive
nach System „Stug",
Maschine 58 1677
vom Betriebswerk
Friedberg, bei Pro-
befahrten 1929 als
Vorspann vor einer
weiteren G 12.

44 Farbzeichnung von
Willy Herrmann
nach einem Licht-
bild der Lokomotive
58 1677 aus dem
Jahre 1929.

346 Zwischenhalt eines Personenzugs in Fulda: Lokomotive 38 3713.

347 In Mühlheim am Main 1935: Die „Hochhaxige“ S 3/6-Lokomotive 18 451 vor einem Zug von Frankfurt/M. nach Nürnberg.

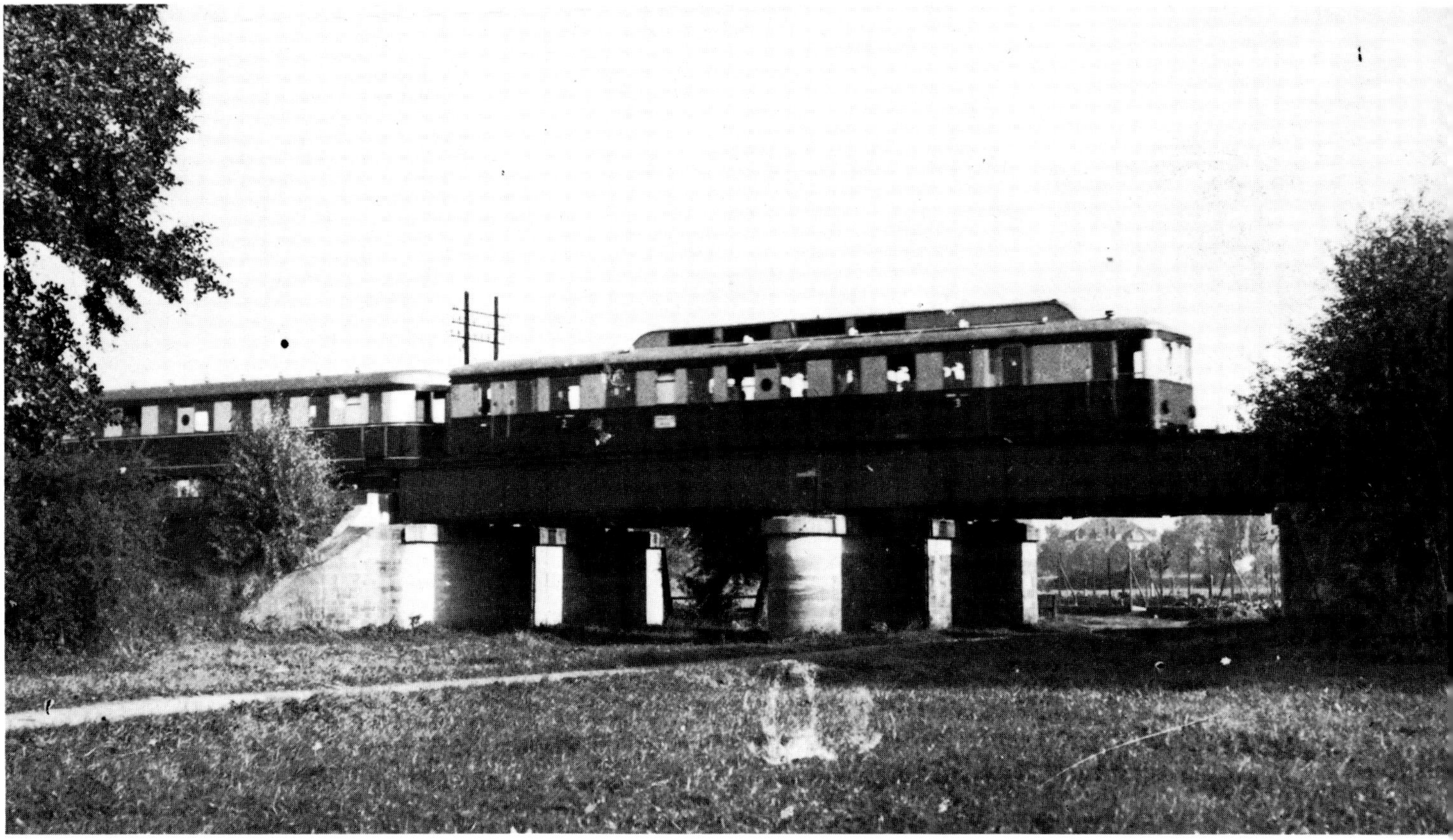

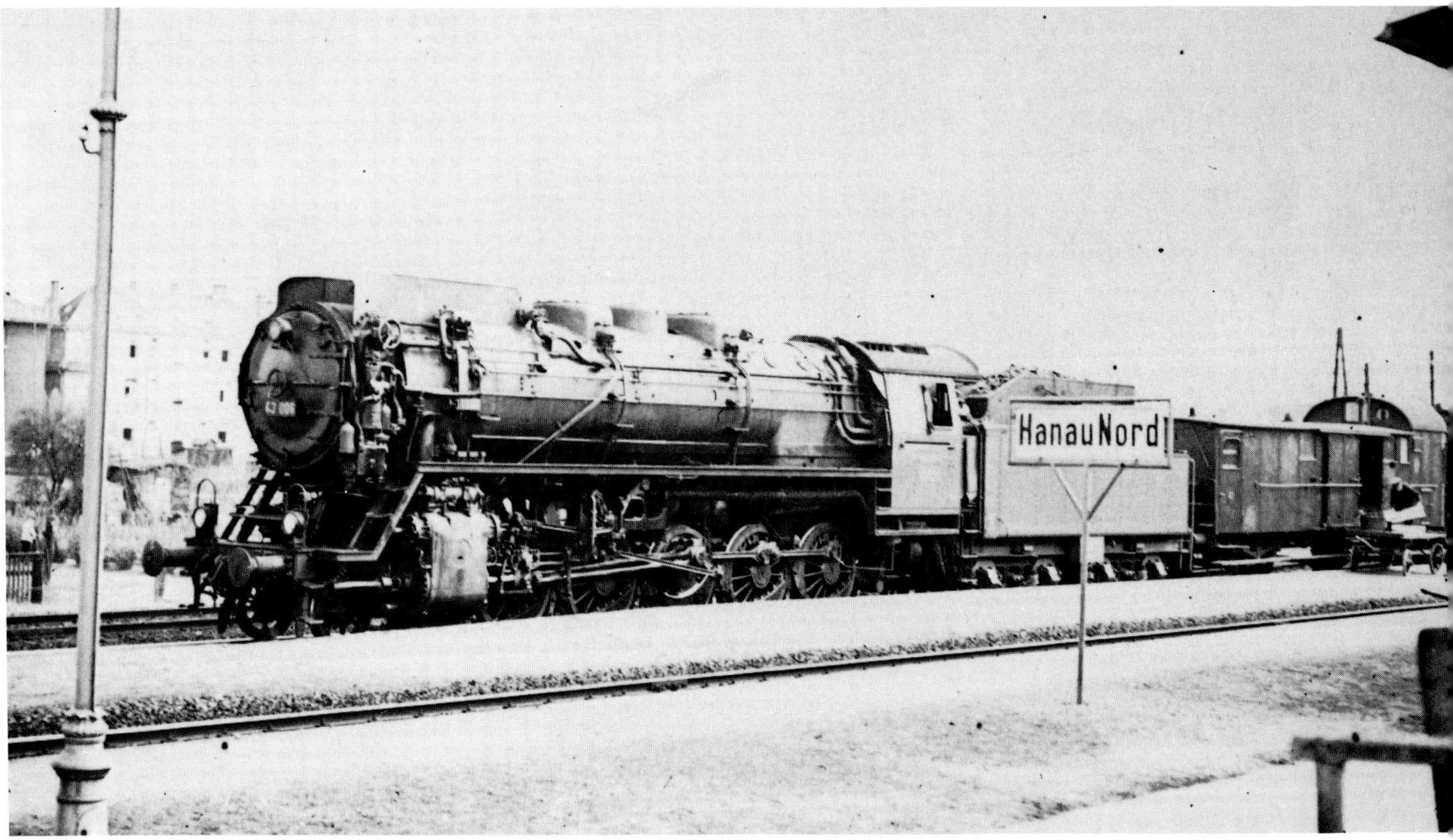
HanauNord

348 Städteverkehr-Die-
seltriebwagen von
410 PS im Einsatz
der Direktion
Frankfurt/M., Ha-
nau West 1935. Es
ist der gleiche Wa-
gen wie in Bild 122.

349 Güterzuglokomoti-
ve 43 006 vom Be-
triebswerk Fried-
berg, 1934 beim Per-
sonenzugeinsatz in
Hanau Nord aufge-
nommen.

350 Personenzug in Ha-
nau West, 1930: Lo-
komotive 38 1226.

351 Eine „Ochsenlok"
der Reihe 41 vor
Personenzug in Ha-
nau, 1938.

Durch den Spessart nach Franken

Die vorangegangenen Bilder aus Hanau haben schon den Weg geöffnet in den Spessart mit seiner dicht befahrenen Strecke am Main entlang nach Würzburg und Nürnberg, zugleich auch nach den romantischen Nebenbahnen in Franken, die ihre eigenen Fotografen gefunden haben: H. Burger fertigte seine stimmungsvollen Aufnahmen für das Verkehrsmuseum Nürnberg an, P. Feißl und E. Köditz schufen meisterhafte Lichtbilder für einen kleinen Kreis Gleichgesinnter. Das Kapitel schließt mit Abbildungen aus dem Thüringer und dem Bayerischen Wald, wagt sich auch einige Male über die Grenzen des Themas: Franken und Spessart hinaus.

352 Wismarer Neben-
bahn-Triebwagen
(siehe Bild 121), hier
aber aus einer späte-
ren Lieferung ande-
rer Hersteller, im
Spessartbahnhof
Brückenau Bad.

353 Vier Bilder von der Rampe bei Heigenbrücken im Spessart: Güterzug mit Lokomotive 58 1711 kurz vor dem Tunnelmund. Auf das Gleis links setzt die Schiebelokomotive zurück.

354 Personenzug mit Lokomotive 38 1018 verläßt den Schwarzkopf-Tunnel. Rechts eine Schiebelok der Gattung Gt 2 × 4/4, Reichsbahnreihe 96⁰.

355/356 Der Münchener Schnellzug mit S 3/6-Zuglokomotive und Gt 2 × 4/4-Nachschub beim Überwinden der Steigung über den Spessart.

357 Benzolmecha-
nischer Nebenbahn-
Triebwagen VT 761
von 2 × 135 PS Lei-
stung , Baujahr

1927, auf der Strecke
Steinach–Dombühl
vor den Türmen von
Rothenburg ob der
Tauber.

358 Die neuerbaute Güterhalle von Schweinfurt im April 1928.

359 Eilzug mit preußischer S 10²-Lokomotive 17 253 aus Halle am Erlanger Burgberg-Tunnel, 1928.

360 Blick auf den Nürnberger Hauptbahnhof und abgestellte Bereitschaftswagen an der Ostseite.

361 Das Ausbesserungswerk Nürnberg war für die Reparatur einer Vielzahl von Dieseltriebwagen zuständig: auf der Schiebebühne der VT 137 025 Nürnberg mit 300-PS-Motor, Baujahr 1933.

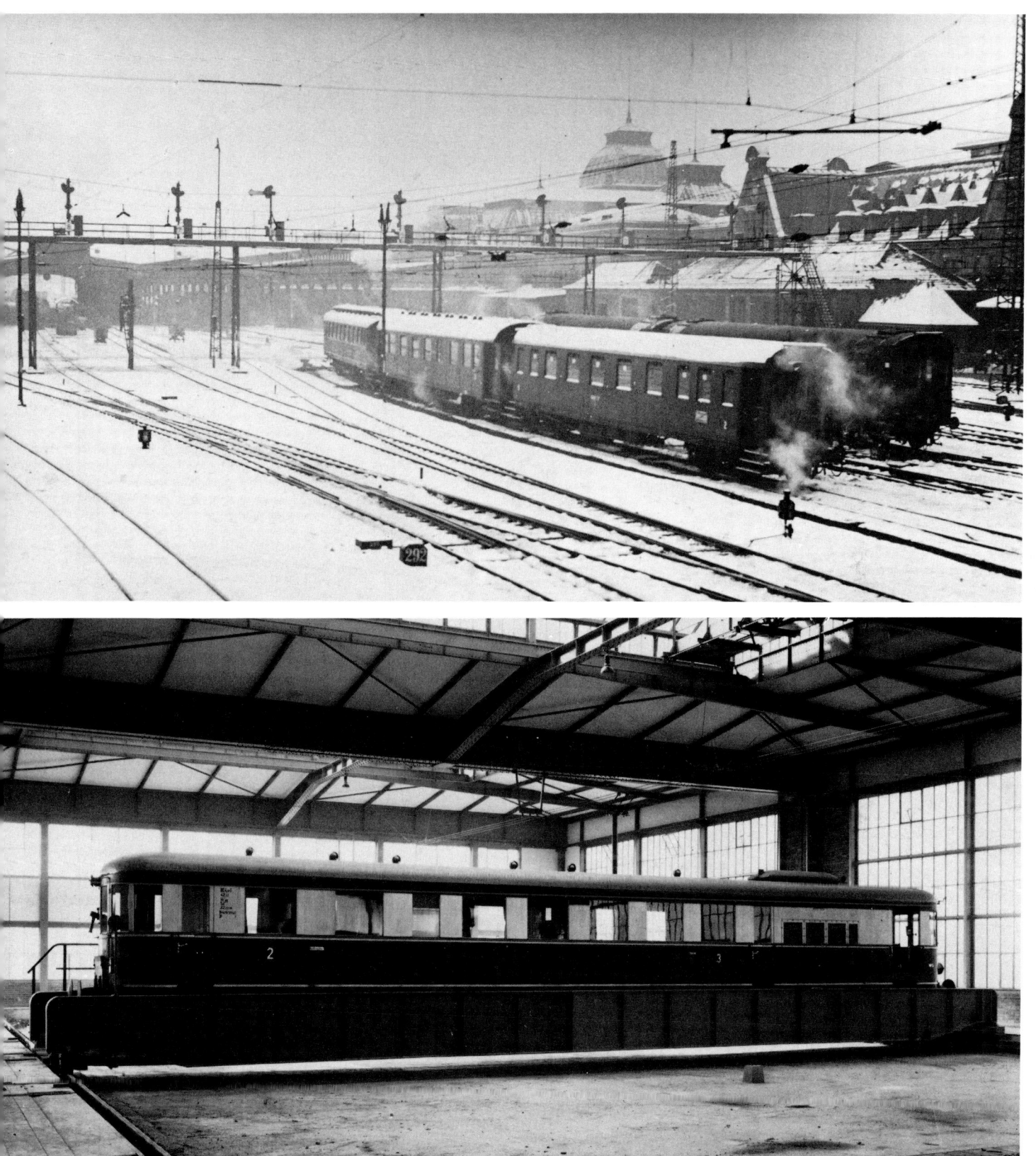

362 Bayerische S 3/5-
Schnellzuglo-
komotive 17 505 in
Nürnberg.

363 Bezirksverkehr mit dem Nebenbahntriebwagen 757 Nürnberg, dem Vorläufer des Wagens von Bild 357. Leistung 2mal 110 PS.

Ausfahrender
Schnellzug mit Lo-
komotive 18 487 in
Nürnberg, 1927.

365 Bahnhof Behrin-
gersmühle, Endsta-
tion einer von
Forchheim ausge-
henden Nebenbahn.

366 Nebenbahnzug bei
Burgruine Neideck
in der Fränkischen
Schweiz, 1927.

367 Schnellzug D 40
Berlin–München
zwischen Ludwigs-
stadt und Steinbach
am Wald, 1929.

368 Bayerische Steilram-
penlokomotive Gt
2×4/4, Reichsbahn-
nummer 96 017, bei
Förtschendorf zwi-
schen Pressig-Ro-
thenkirchen und
Probstzella in Tal-
fahrt 1930.

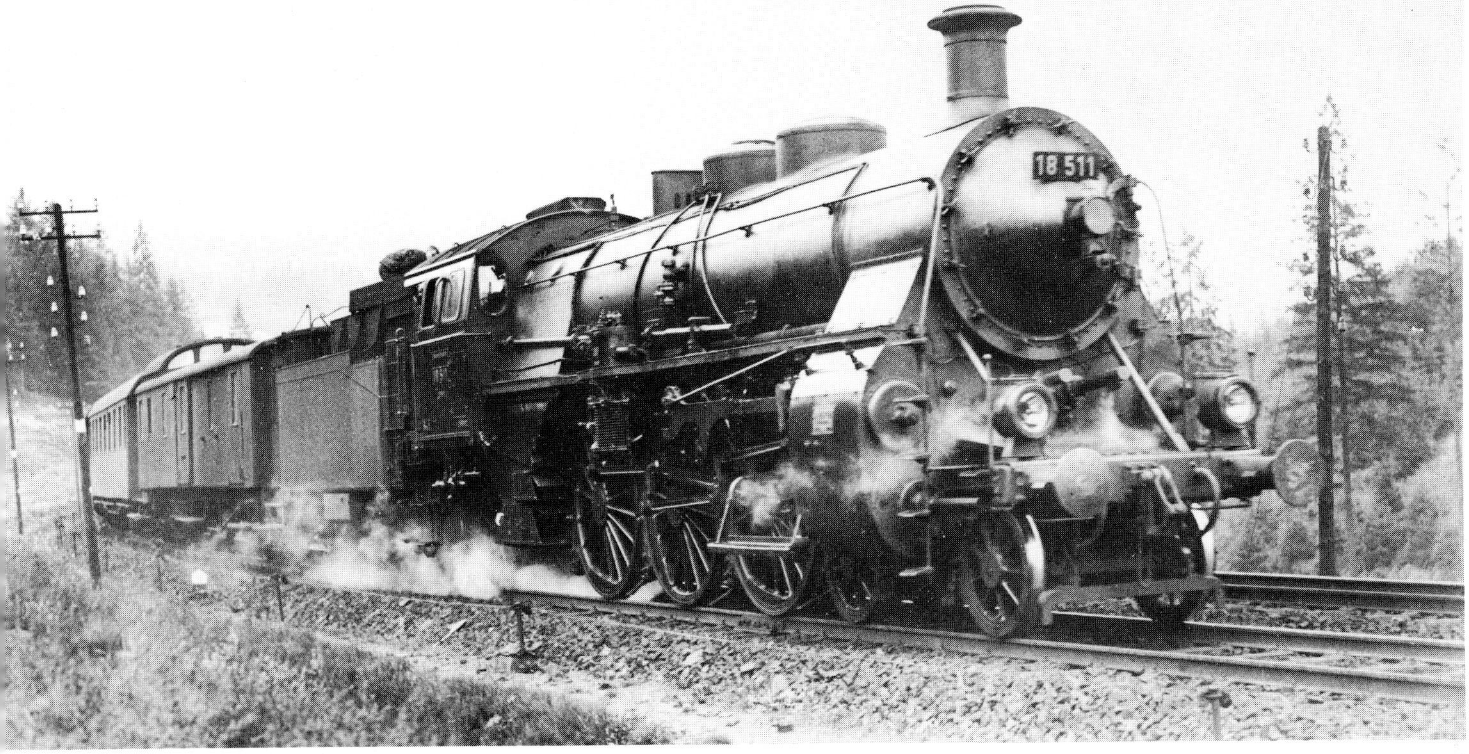
18 511

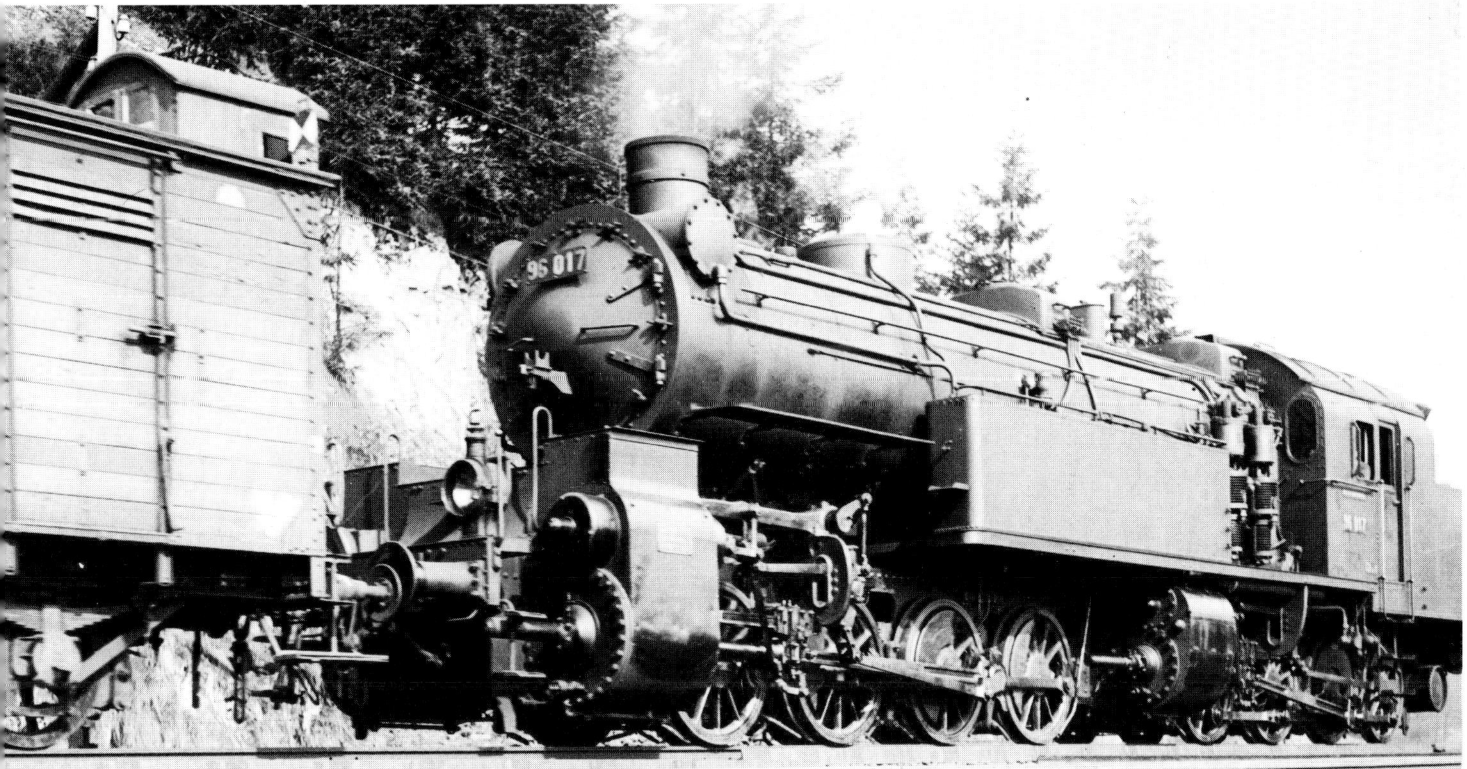
96 017

369 Hier einmal der
ganze Schnellzug
zwischen Rothen-
kirchen und Probst-
zella im Thüringer
Wald, Lokomotiven
S 3/6 und Gt 2 × 4/4,
um 1928.

370 Lokomotiv-Stell-
dichein in Saalfeld,
Baureihen 01, T 20,
T 14[1], P 8 und G 12
nach der Elektrifi-
zierung im Herbst
1939.

371 Kleinbahnzug im
Bayerischen Wald,
geführt von einer
Lok der Gattung
Pt 2/3.

372 Bayerische Lokal-
bahnlokomotiven
98 702 (Gattung
BB II, Bauart Mal-
let) und 98 860
(Nachbau GtL 4/4)
am 11. August 1931
in Naila.

373 Die 1928 im Be-
triebswerk Hof ein-
gebaute Schiebe-
bühne trägt die Ho-
fer Lokomotive
94 1344, preußische
Gattung T 16^1.

22.9.28.

374 Bayerisches Vorsignal, der »Schmetterling«, bei Neuenreuth nahe Creußen in Oberfranken.

375 Bayerisches Einfahrtschutzsignal mit Durchfahrvorsignal in Trebgast, 1936.

313

376 Im Ausbesserungs- kirchen und 45 015 holtz-Gestell der
werk Meiningen ste- aus Würzburg zur Reihe 45 zu er-
hen die Lokomoti- Untersuchung. kennen.
ve 44 001, 44 004 Deutlich ist das vor-
aus Pressig-Rothen- dere Krauss-Helm-

377 Schiebebühne des Baujahres 1927 in Regensburg.

378 Nebenbahn-Triebwagen VT 135 017 Regensburg mit 150-PS-Dieselmotor, 1933 gebaut, in Passau.

379/380 Ein kurzer Abstecher über die Grenze an die Strecke Wien–Linz bei Stift Melk: Schnellzugförderung im Sommer 1940 mit den Reihen 18[4] und 03[10], Folge des österreichischen Anschlusses. Hier herrschte weiterhin Linksverkehr, die Maschinen behielten Rechtsführerstand.

München und Oberbayern

Nun ist die Hochburg der alten Bayerischen Staatsbahnen erreicht, auch in der Reichsbahnzeit noch weitgehend Domäne seltener und besonderer Lokomotiven und Wagen, Ausgangspunkt des dritten elektrisierten Streckennetzes der Verwaltung, Tor zur Sommerfrische im Alpenland den einen, technisches Erprobungsfeld für neue Entwicklungen, etwa beim Reichsbahn-Zentralamt München, den anderen. 1920 hatten die bayerischen Reichsbahndirektionen noch einen ganzen Teil der einstigen Souveränität in Form ihrer Gruppenverwaltung Bayern gerettet, die bis 1933 immer wieder andere Standpunkte als die Berliner Zentrale vertrat, dann aber aufgelöst wurde. Doch die eigene Atmosphäre der Eisenbahnen in dieser Region bestand fort.

381 München Haupt-
bahnhof im Jahre
1938.

382 Gepäck- und Ex-
preßguthalle Mün-
chen 1928.

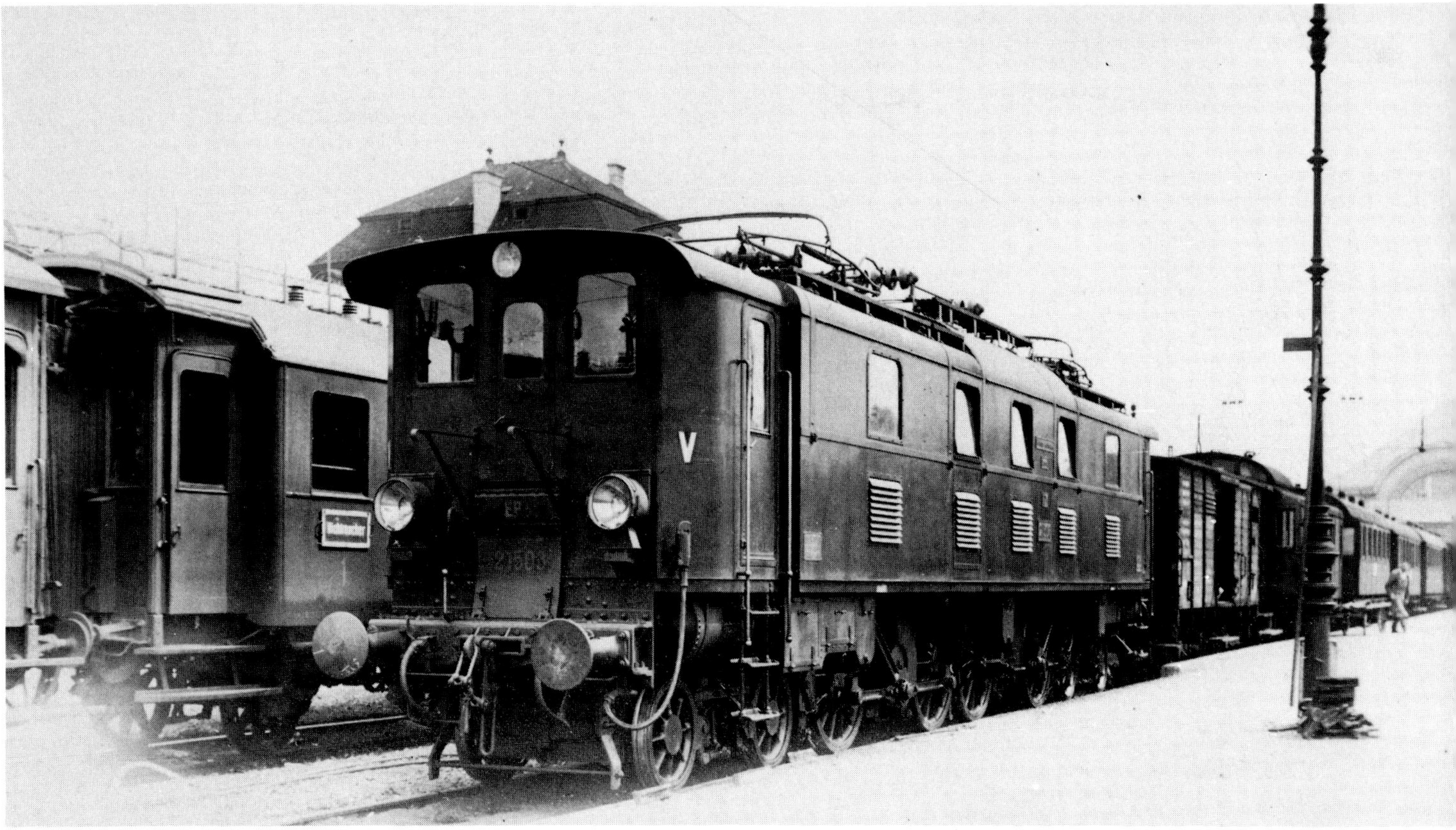
V

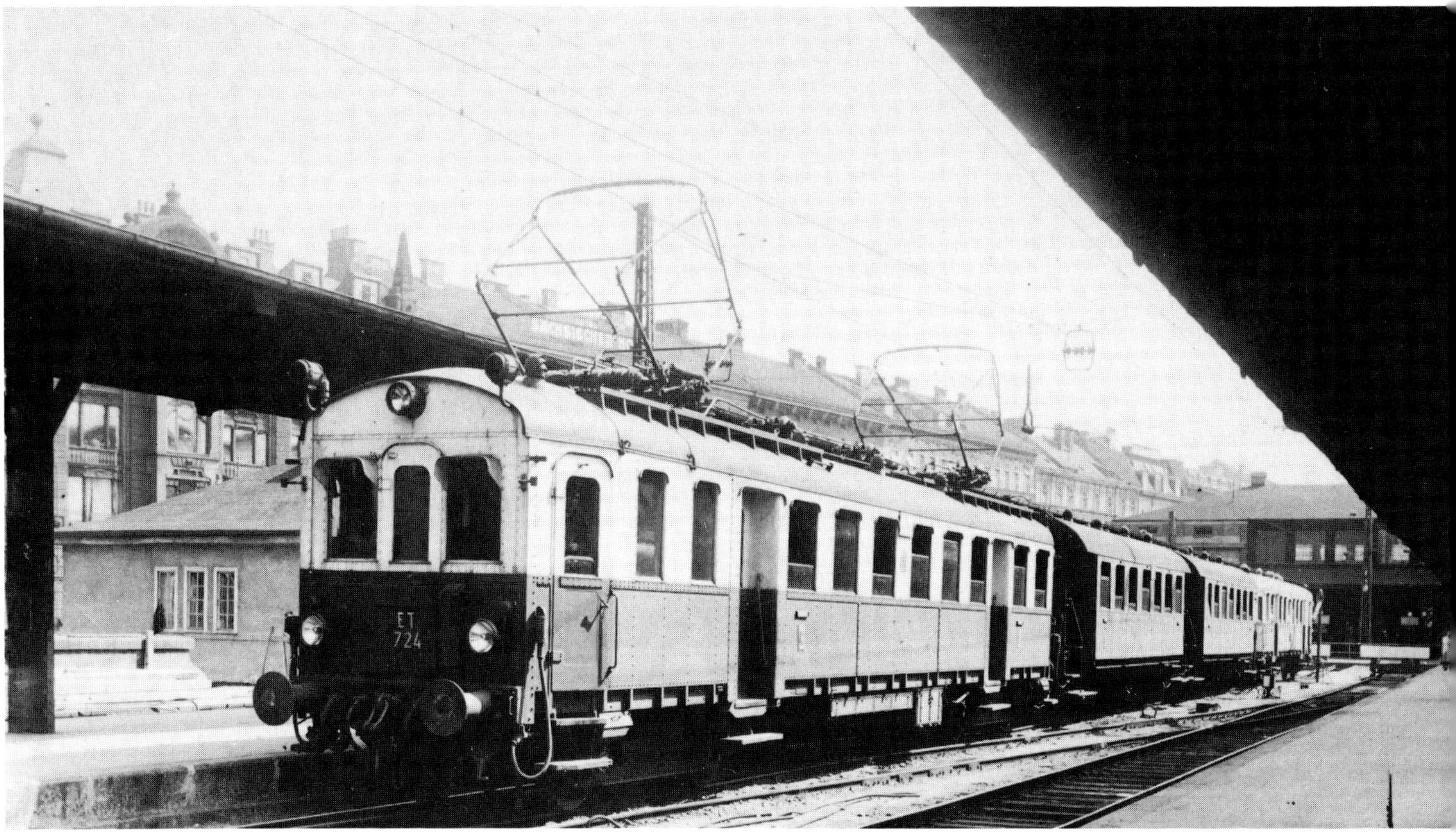
ET
724

383 Im Starnberger Bahnhof zu München: Elektrolokomotive EP 5 Nummer 21 503, die spätere E 52 03.

384 Gleichfalls im Starnberger Bahnhof: Triebwagen ET 724, spätere Reihe ET 85, mit eigenen Bei- und Steuerwagen.

385 Schnellzuglokomotive der Reihe 03 und Lokomotive 18 420 abfahrbereit in München Hbf., Winter 1938/39.

386 Heizhäuser München Hbf. im September 1931: Preußische 91 1771 und bayerische R 3/3, Reichsbahnreihe 89⁹.

387 Blick auf das Bahnhofsvorfeld in München Hbf.: Zwei ausfahrende Garnituren ET 85, rechts ein Dampfschnellzug mit S 3/6.

388 Das Ausbesserungs- brik des Ersten tung G 3/4 H auf
     werk Freimann ent- Weltkriegs: Loko- der Scheibe, Januar
     stand nach Umbau motive 54 1693 der 1931.
     einer Munitionsfa- bayerischen Gat-

Von Maffei und BBC wurde 1924 die Personenzug-Elektrolok EP 2 Nummer 20 007, die spätere E 32 07, geliefert, die hier auf einer neuerbauten Schiebebühne der Reichsbahn-Nebenwerkstätte München steht.

392 Württembergische
T 5, Betriebsnum-
mer 75 004, bei der
Ausfahrt vom ver-
schneiten Bahnhof
Memmingen.

393 Bayerische P 3/5 H-
Personenzugloko-
motive 38 408 in
Memmingen.

394   Station Oberstdorf   tive nach Vorbild
mit Personenzug der   der Bayerischen
Localbahn-AG   Gattung D X.
München, Lokomo-

95 Am 3. September
1931: Abfahrt des
Kurswagens nach
Berlin Anhalter

Bahnhof von
Oberstdorf mit ei-
nem Personenzug
der LAG.

396 Personenzug-Tenderlokomotive der Gattung Pt 3/6, Betriebsnummer 77 113, nahe Bayrischzell.

397 Der „Glaskasten", die bayerische Lokalbahngattung PtL 2/2, darf in diesem Kapitel nicht fehlen. Aufnahme 1931.

398 Schwere elektrische Güterzuglokomotive E 94 001 vom Betriebswerk Freilassing, abgeliefert im März 1940, für die Alpenstrecken.

399 Lokomotive E 52 14 vor Personenzug bei Garmisch-Partenkirchen.

400   Die erste von 35 Maschinen der Reihe
E 52, noch mit der
alten Betriebsnum-
mer 21 501, auf
Bahnhof Garmisch-
Partenkirchen. Es ist
die spätere E 52 01.

401 Farbzeichnung von Willy Herrmann aus dem Jahre 1925: Lokomotive EP 5, Nummer 21 511, in den bayerischen Bergen.

402 Kurzer Ausflugszug der Bauart ET 85 auf dem Weg nach Garmisch.

403 Der „Gläserne Zug", elektrischer Aussichtstriebwagen elT 1998, spätere Reihe ET 91, in den Alpen. Nach einer Postkarte, die bei Fahrten in diesem Wagen verteilt wurde.

404 Ferienfahrt auf der Mittenwaldbahn: Hinter der österreichischen Lokomotive ein Wagen des „Karwendel-Expreß" mit weißblauem Anstrich.

Baden

Die badische Hauptbahn bis Basel, die Höllentalbahn und die Schwarzwaldbahn waren die Strecken der Reichsbahndirektion Karlsruhe aus dem Bezirk der alten Badischen Staatsbahn, deren landschaftliche und technische Reize Besucher von weither anzogen, hier die Ferien zu verbringen. Die Beförderung der internationalen Schnellzüge auf der einen, der Steilrampenbetrieb auf den beiden anderen Linien hatte schon die frühere Verwaltung vor große Probleme gestellt und zu besonderen Lokomotivschöpfungen veranlaßt. Die Reichsbahn schenkte namentlich der Höllental- und Dreiseenbahn ihre Aufmerksamkeit, wo sie den Zahnradverkehr durch die großen Reibungslokomotiven der Reihe 85 und elektrische Spezialtypen der Reihe E 244 ablöste, doch auch auf den anderen Strecken des Landes setzten sich preußische und vereinheitlichte Maschinen durch.

405 Ausfahrt vom alten
Heidelberger
Hauptbahnhof:
Schnellzug mit
preußischer S 10
nach Frankfurt/M.

406 Im Neckartal bei
Heidelberg: Güter-
zug aus Kalkwagen
hinter der G 10-Lo-
komotive 57 1250.

407 Karlsruhe Haupt-
bahnhof: Schnellzug
München–Stutt-
gart–Karlsruhe–

Straßburg ist einge-
laufen. Der Speise-
wagen wird ausge-
setzt.

8 Blick aus der Karls-
ruher Bahnsteighalle
auf Lokomotiven
der Gattungen
T 14^1, IV h und P 8.

342

409 Fernschnellzug
FD 5 Basel–Berlin
in Baden-Baden
West, Lokomotive
18 326. Der Zug
wurde später nur
noch ab Frankfurt
gefahren und nahm
Kurswagen aus dem
D 85 von Basel mit.

410 Rangierlokomotive
92 282, badische
Gattung X b, in
Freiburg.

411 Personenzuglokomotive 75 111 bei der Ausfahrt von Freiburg.

412 Freiburg Hauptbahnhof: Güterzuglokomotive 58 1233.

413 Auf einer badischen Nebenbahn im Breisgau: Personenzug mit einer badischen VI c.

414 Im badischen Müllheim: einer der letzten eingesetzten Kittel-Dampftriebwagen der Reichsbahn, 1931.

345

415 Bilder von der Höllentalbahn im Zahnstangenbetrieb: Vorn am Zug meist eine VI b-Lokomotive, hier die Maschine 75 181, die für Talfahrt auch eine Gegendruckbremse besaß.

416 Station Hirschsprung der Höllentalbahn: badische Zahnradlokomotive 97 204, frühere Gattung IX b, setzt sich hinten an den Zug.

417 Blick auf die abfahr-
bereite Maschine
97 204 in Hirsch-
sprung.

418 Blick aus dem Zug-
fenster auf die füh-
rende VI b in der
Zahnstangen-
strecke.

9 Schiebende IX b-
Lokomotive hinten
am Zug.

0 Mit dem Einsatz der
Baureihe 85 endete
der Zahnstangenbe-
trieb 1933, drei
Jahre später wurde
elektrifiziert. Eilzug
E 383 Kolmar–Ulm
auf der Ravenna-
brücke in Steigung
1 : 18, geführt von
der Lok 85 010 vor
einer weiteren 85,
Nachschub durch
Maschine 85 006. Im
Hintergrund Bahn-
hof Höllsteig.

421 Die Elektrifizierung
der Höllentalbahn
erfolgte versuchs-
weise mit Wechsel-
strom von 50 Hertz
und 20 000 Volt.
Einfahrt des ersten
elektrischen Zuges
in Hinterzarten mit
Sonderlokomotive
E 244 21 im Som-
mer 1936.

422 Da nur wenige El-
loks gebaut worden
waren, wurde der
Betrieb mit der
Reihe 85 fortge-
setzt. Der schon in
Bild 420 gezeigte
Eilzug E 383 verläßt
hier den Ravenna-
tunnel hinter den
Lokomotiven
85 004 und 85 006.

423 Mit dem Einsatz der Reihe 85 wurde die Gattung IX b ausgemustert, die Gattung VI b traf man auf der Höllentalbahn noch im Abschnitt Neustadt–Bonndorf, hier bei Lenzkirch.

424 Der Hornberger
Viadukt der Schwarz-
waldbahn mit einer
P 8-Lokomotive vor
Personenzug.

5 Doppeltraktion der Maschinen 58 1618 (preußische G 12) und 58 313 (badi- sche G 12) vor einem Güterzug bei Hornberg.

426 Schwarzwälder
Hochzeitsgäste in
ihrer Tracht als Rei-
sende auf der
Schwarzwaldbahn.

427 Eilzug Offenburg–
Konstanz beim
Wassernehmen auf
Bahnhof Triberg,
Lokomotive
38 3795.

428/429 Zwei weitere Bilder vom Zwischenhalt des Eilzuges Offenburg–Konstanz in Triberg.

362

430 Güterzug mit Loko-
motive 58 246
dampft durch Bahn-
hof Triberg.

431 Eilzug mit P 8-Lo-
komotive 38 3801 in
Konstanz.

Württemberg

Auch für dieses Land bedeutete der Übergang von der Königlich Württembergischen Staatseisenbahn zur Deutschen Reichsbahn den Bruch mit manchem Althergebrachten, im Fahrzeugwesen, das sich schon in den Jahren zuvor manchesmal nach Preußen gerichtet hatte, vielleicht weniger als für andere Regionen. Der neuerbaute Stuttgarter Hauptbahnhof und die P 10-Lokomotive waren von Anfang an kein gegensätzliches Bild, zu dem auch die württembergischen G 12, T 18 und T 14 beitrugen. Diese Maschinen, dazu die legendäre Eßlinger C-Schnellzuglok und die aus Schwaben herübergekommene S 3/6, hat Alfred Ulmer mit großer Liebe und seltenem Können aufgenommen. Seine Arbeiten sollen die Runde durch die deutschen Länder zur Reichsbahnzeit beenden.

432 Der Neubau des
Stuttgarter Haupt-
bahnhofs war eines
der ersten und be-
deutendsten archi-
tektonischen Vorha-
ben der Reichsbahn,
1927 fertiggestellt.

433 Stuttgart Haupt-
bahnhof im März
1938. Auch in Würt-
temberg war die
Gattung P 10 in der
Schnellzugförde-
rung sehr geschätzt.

434 Bahnsteigszene in
Stuttgart, Juli 193⟨
Wieder eine P 10-
Lokomotive, vor
dem Berliner
Schnellzug.

435 Die äußerst dichte
Ausnutzung des G⟨
ländes im Vorfeld
des Hauptbahnho⟨
ist für Stuttgart be⟨
sonders charakteri⟨
stisch.

336 Abstellbahnhof und
Betriebswerk Stutt-
gart Hauptbahnhof.

337 In einem der Reiter-
stellwerke des Stutt-
garter Hauptbahn-
hofs.

438 Pflege und Unter-
haltung der Gleisan-
lagen im Vorfeld
von Stuttgart Hbf.

439 Entfernung der
Grate an Weichen-
zungen und Backen-
schienen.

440 Bahnsteigszene in
den Hallen des
Stuttgarter Haupt-
bahnhofs.

441 Erste Probefahrten
des Elektro-Eil-
triebwagens 1801
durch die Maschi-
nenfabrik Esslingen
im Stuttgarter
Raum, 1935. Spätere
Gattung ET 25.

442 Für den Vorortver-
kehr von Stuttgart
nach Esslingen und
Ludwigsburg wur-
den die Elektro-
triebwagen der spä-
teren Reihe ET 65
ab 1933 beschafft, zu
denen die in Esslin-
gen abgestellten
Fahrzeuge 1208,
1203 und 1206
gehören.

443 Die „Schöne Württ-
tembergerin“,
Schnellzuglok der
Gattung C, vor

Schnellzug beim
Herannahen an das
Vorsignal.

444 Ein Güterzug mit
G 12-Lokomotive
bei Murrhardt,

Strecke Stuttgart–
Crailsheim, um 1940
aufgenommen.

374

445 Vorsignal mit Zu-
satzflügel, 1935
eingeführt, in Warn-
stellung.

446 »Fertig zur Ab-
fahrt« – auf einer
G 12-Lokomotive
bei Stuttgart.

447 Württembergische
G 12-Güterzuglo-
komotive vom
Bahnbetriebswerk
Esslingen auf der
Strecke.

Lokomotive E 18 09
vor schwerem
Schnellzug in der
Geislinger Steige,
1937.

450 Auch auf der Geis-
linger Steige wurde
mit der preußischen
T 20 nachgescho-
ben. Lokomotive
95 011 um 1935.

451 Probefahrt mit dem
Eiltriebwagen 1802
über die Steige, An-
fang 1936.

452 Lokomotivführer
Bayerer auf einer der
ersten E 18-Loko-
motiven zwischen
Stuttgart und Mün-
chen, Februar 1936.

53 Nahverkehrstrieb-
wagen Tübingen–
Stuttgart bei Kir-
chentellinsfurt,
1939.

54 Eilzug bei Kirchen-
tellinsfurt mit Loko-
motive der Reihe
E 17.

55 Winterbild der Tü-
binger Ausfahrt in
Richtung Horb und
Sigmaringen, rechts
eine G 10-Loko-
motive.

456 Schnellzug mit bayerischer Loko-motive 18 513 in Schwaben.

457 Württemberger Nahverkehr mit der T 14¹-Maschine 93 840.

458 Fahrkarten der Reichsbahn-zeit. Die Zulas-sungskarte galt für den Henschel-Wegmann-Zug.

Dre
Urlaubskarte
Reiseantritt am ___ 193_5_
Frühester Rückreisetag ___ 193_5_
Ende der Rückreise spätestens
am ___ 193_ um 24 Uhr
Personenzug
Dresden—
Krummhübel
und zurück
3. Kl   14,40 RM
234 km   Gepäck
Nicht übertragbar · Wegen
Unterschrift s. Rückseite
H   (Dr Hbf 55)
Urlaubskarte
Dresden H 55 - Krummhübel
00361

Dresden Hbf
Zulassungskarte
für D ___ **53**
von Dresden
nach Berlin
01. JUL 1936
am ___
3 00040

Gültig 1 Tag.
Basel SBB 1
Basel DRB
via Verbindungsbahn.
3. Kl.   Ⓑ   Fr. -.70
Basel SBB 1 - Basel DRB | Fr. -.70 | E
07965

27.05.41
│14│16│18│20│22│24│
Bahnsteigkarte 0,10 RM
Freibrg=Wiehre (1)
│2│4│6│8│10│12│
1572

Personenzug
Nz Umwegkarte
zu ein. Fahrkarte f. die Strecke
Bretten
Karlsruhe Hbf
über Grötzingen
zur Fahrt
über Bruchsal
oder umgekehrt
3. Kl   0,50 RM
(442)   12 km
Siehe Rückseite
Ausgabe Bretten (A)
Bretten (A)
Umwegkarte (442)
1226

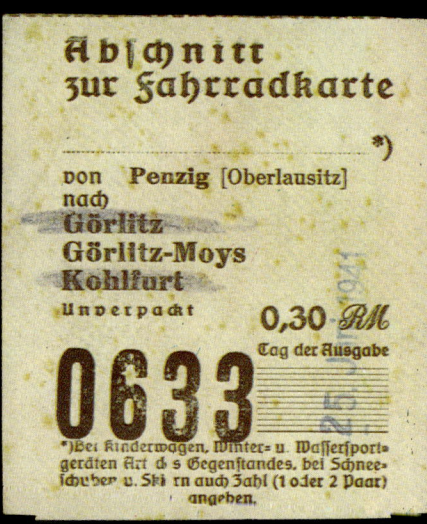

Abschnitt
zur Fahrradkarte
*)
von   Penzig [Oberlausitz]
nach
Görlitz
Görlitz-Moys
Kohlfurt
Unverpackt   0,30 RM
0633   Tag der Ausgabe
25. JUL 1941
*)Bei Kinderwagen, Winter- u. Wassersport-
geräten Art d. s Gegenstandes, bei Schnee-
schuber u. Ski rn auch Zahl (1 oder 2 Paar)
angeben.

08.04.30.
Eilzug
Fürth (Bay.) Hbf/1
Leipzig
über Kötschau
Saalfeld Zahl
2. Kl. RM 22,80
(1)   22,80
315 km
Fürth Leipzig
7444

Bd
Eilzugzuschlag
Kappel-Gutachbrücke
06.07.41
Zone I
bis Emmendingen
oder Engen
oder St Georgen (Schw)
oder Tuttlingen
3. Kl   0,25 RM
(Siehe Rückseite)
Kappel-Gutachbrücke
EZu 3. Kl Zone I
1459

Verwaltungssonderzug
zur Ehrenmalsfeier Kiel
am 28. Mai 1936
Dresden Hbf
Kiel
und zurück
am 2.6.36. 18,03 Uhr
Anschluß 75 0/0
3. Kl.   11,60 RM
578 km
H   Nicht übertragbar
Ausg Dresden Hbf
0163

Übergang
aus 3. in 2. Kl.
Personenzug
auf der Strecke
Baden=Baden Stadt
Baden=Baden West
Nur gültig in Verbindung
mit der Hauptkarte
(A)   0,10 RM
Übergangskarte
B-Bad St (A)-B-Baden W
3721

459 Schloß Werenwag
bei Beuron im obe-
ren Donautal – da-
vor die württem-
bergische
C-Schnellzuglok
18 106.

0 Noch einmal der
Diesel-Aussichts-
triebwagen
VT 137 240, hier am
Petersfelsen bei Beu-
ron, Strecke Ulm–
Immendingen bei
Inzigkofen.

461 Der Schnellzug
Stuttgart–Zürich
mit Kurswagen
nach Italien, hier im
Rohrer Wald, leitet
die Folge der Foto-
grafien von Alfred
Ulmer ein;
Lokomotive 39 200.

62 Winterliche Studie
   der P 8-Lokomotive
   im Rohrer Wald.

Eine der berühmte-
sten Ulmer-Aufnah-
men, die auch in den
Reichsbahn-
kalender Eingang

gefunden hat: Zwei
C-Maschinen vor
dem Schweizer
Schnellzug auf der
Gäubahn.

465 Schnellzugförde-
rung im Hügelland,
Domäne der Gat-
tung P 10 auch zwi-
schen Stuttgart und
Singen.

Vorspann von P 10
vor P 8 an einem
Winterabend auf der
Gäubahn.

467 Güterzuglokomoti-
ve 59 015 im Win-
terdienst bei Stutt-
gart-Rohr.

58 Gleichfalls in Berg-
fahrt auf der Gäu-
bahn: Maschine
39 204 vor einem
Zug mit schweizeri-
schem Kurswagen.

Gegenlichtstudie an einem Sommerabend: Schnellzug Zürich–Stuttgart mit Lokomotive 39 201 im Rohrer Wald.

471 Schnellzug mit P 10-
     Lokomotive bei
     Rohr.

472 Blick vom Portal des Berghautunnels bei Rohr auf den herannahenden Schnellzug und seine Lokomotive 18 112.

473 Stimmungsbild von der Murgtalbahn Freudenstadt–Forbach mit der badischen VI c-Tenderlok vor Personenzug.

4   Nacht am Stuttgar-
     ter Hauptbahnhof
     mit der S 3/6-Loko-
     motive 18 512 vom
     Betriebswerk Würz-
     burg.

475 Mit dem Schnellzug
D 238 Berlin–Stutt-
gart aus Nürnberg
kommend, verläßt

18 511 am Portal des
Rosensteintunnels
die Brückenöffnung
der Ehmannstraße.

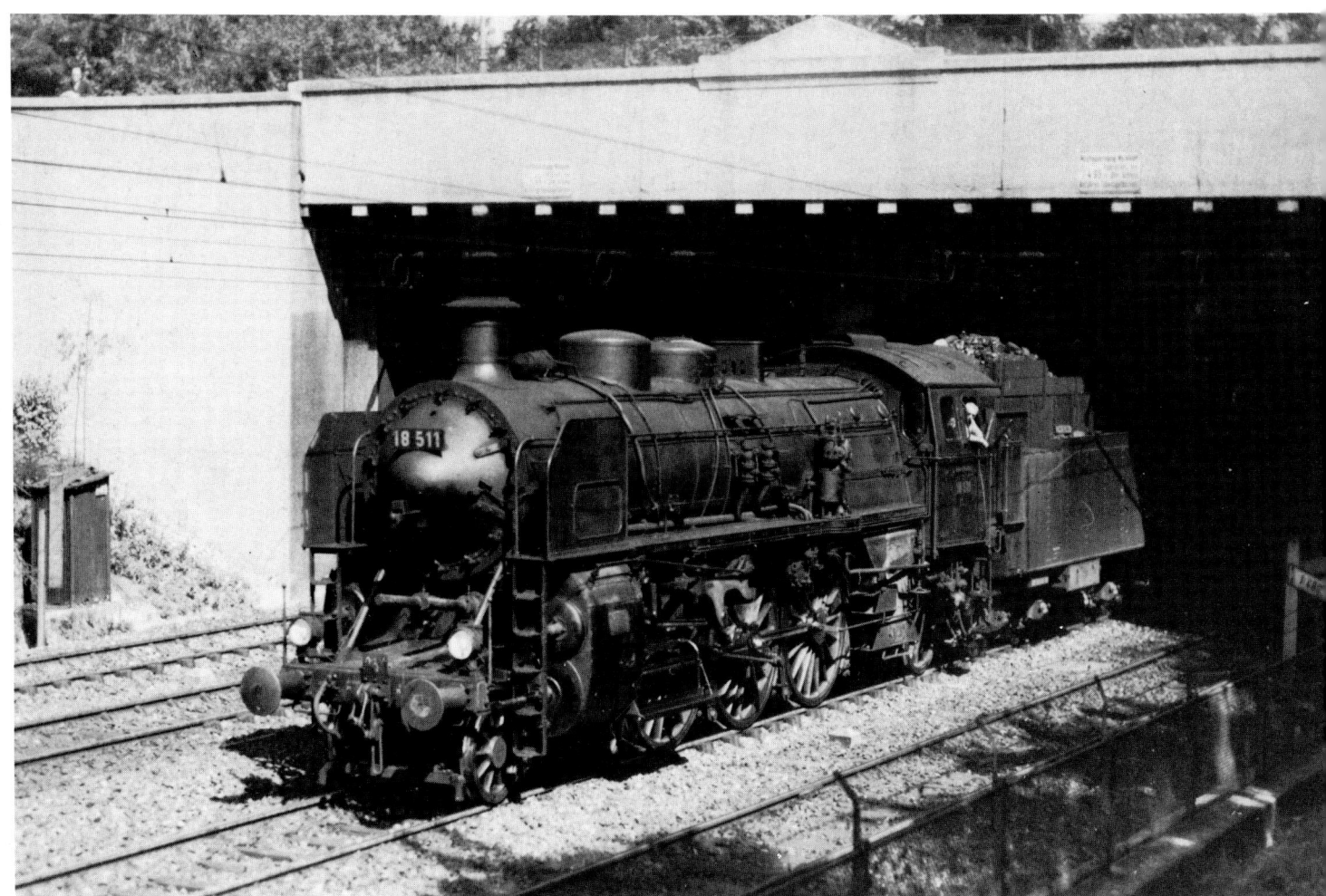

Ausfahrt frei! – Eine
P 10 auf der Rosen-
steinbrücke über
den Neckar bei
Stuttgart-Cannstatt.

477 Mit einem Schnell-
zug auf der Crails-
heimer Strecke in
Cannstatt begegnet
uns die C-Maschine
18 110.

8 Vorspann auf der
Rampe zwischen
Cannstatt und Fell-
bach: Lokomotiven
38 3490 und 18 127
im Sommer 1937.

479 »Die Schöne Würt-
tembergerin«, C-
Lokomotive 18 119,
vor einem Nürnber-
ger Schnellzug bei
Cannstatt.

Schon in Franken, aber gleichsam eine Verbindung zu Württemberg, so sehen wir hier die Würzburger Mainbrücken mit einer G 12-Maschine und ihrem Güterzug.

481 Ein endloser Zug aus
offenen Güterwagen
auf dem langen Via-

Das war die Reichsbahnzeit

An den Schluß dieser Blätter sollen, ebenso wie an ihren Beginn, noch einige solche Fotografien gestellt werden, die, ganz unabhängig vom Ort der Aufnahme, symbolisch für die Epoche zwischen den beiden Weltkriegen uns Menschen, Szenen und Maschinen auf der Eisenbahn zeigen, die den Begriff: Reichsbahn in der Erinnerung verkörpern. Der Lokomotivführer, Reisende am Waggonfenster, die Bahnsteigunterführung, der Abteilwagen, der Schuppen im Betriebswerk und der Weichenschmierer gehören dazu wie vieles andere, das der Leser in diesem Album gesucht und vielleicht auch gefunden hat.

410

483 Fahrgastperspektive
aus dem Schnellzug
auf die P 10-Loko-
motive.

484 Am Zugfenster.

485 Skiläufer auf der
Fahrt in den
Schwarzwald: Badi-
sche Hauptbahn.

Abstellbahnhof.

Mittelgebirgs-Bahn-
betriebswerk in
Hagen-Eckesey mit
Lok 39 141.

488 Dampfkran vom
Ausbesserungswerk
Breslau-Odertor am
Werk: ausgemusterte
S 6-Maschine
13 1132.

416

490 Die »Schwarzwald-
lokomotive« 24 028
aus Freudenstadt
vor einem Personen-
zug nach Alpirs-
bach.

491 Die badische
Schwarzwaldbahn
bei Triberg: Perso-
nenzug mit der Lo-
komotive 38 3796;
nochmals zwei Win-
terbilder von Alfred
Ulmer.

492 Der klassische preu- Eberswalde, 1935
ßische Abteilwagen unter Nummer
3. Klasse, hier im 69 991 Stettin aufge-
Ausbesserungswerk nommen.

-498 Eine Kollektion
von Personenzug-
wagen, 1935 in
Warburg ange-
troffen.

499 Ein Schlosser auf dem Führerstand der neuen Borsig-Schnellfahrlokomotive 05 001.

500 Der Zugführer beim Ausfüllen des Bremszettels.

C 3 d
17,1 t
60 Pl
12,20 m
Wpbr
E 14,5 t
P
E 13,7 t
B

Nichtraucher

In der folgenden Liste ist an erster Stelle angegeben, welchem Sammler der Verfasser den Zugang zu der betreffenden Abbildung verdankt; dahinter ist – soweit bekannt – der Name des Urhebers der Fotografie genannt, wenn er nicht zugleich der Leihgeber war. Da namentlich W. Hubert und R. Kreutzer oft auf Autorenangaben an ihren Arbeiten verzichteten, sind unter den vom Verkehrsmuseum Nürnberg und den von Heinz Worm so zahlreich zur Verfügung gestellten Bildern eine gewisse Zahl leider ohne diesbezügliche Identifikation geblieben. Unter Kurzzeichen wurden Aufnahmen aus dem Zentralen Bildarchiv der Deutschen Bundesbahn (DB), dem Verkehrsarchiv beim Verkehrsmuseum Nürnberg (VM) und dem Presse-Bildarchiv Dr. Paul Wolff & Tritschler (WT) vermerkt.

1	VM
2–3	VM (Bettenhausen)
4	VM
5–10	WT
11	VM
12	VM (Eschen)
13	Maixner
14	Bundesarchiv
15	Eschen
16–18	WT
19	Dr. Ewald
20–21	Worm
22	VM (Hanomag)
23	MAN Gustavsburg
24	Worm (Hubert)
25	VM (Hanomag)
26	VM
27–28	Maixner
29	Ullstein
30	AEG
31–32	Dr. Ewald (Stoja)
33	Mündler
34–35	Ullstein
36	VM
37–38	Bundesarchiv
39	AEG
40	Süddt. Verlag Bilderdienst
41	Ullstein
42–44	Bildarchiv Preußischer Kulturbesitz
45–46	Herrmann
47	Troche (El. Bahnen)
48	Archiv Braitmaier (Ulmer)
49	Süddt. Verlag Bilderdienst
50	Bergmann
51–52	VM
53–54	Lindemann
55	Rheinstahl (Henschel)
56–65	VM
66–80	WT
81	MAN Gustavsburg
82	Göllner
83–84	VM
85–95	WT
96	DB (Hollnagel)
97	Dr. Weyer
98–99	VM
100–101	WT
102–103	VM
104	Dr. Roosen (Henschel)
105	Ullstein
106	Rheinstahl (Henschel)
107	Ullstein
108	WT
109–111	Weyer
112	VM (Maey)
113	Wolff
114	VM
115	Rheinstahl (Henschel)
116–118	VM
119	Worm (Hubert)
120	Worm
121	VM (Wismar)
122	Buchholz (Wismar)
123	Ullstein
124	Dr. Feißel
125	Ullstein
126	VM (Dessau)
127	DRB
128–129	Bildarchiv Preußischer Kulturbesitz
130	VM
131–132	Ullstein
133	VM
135	Ullstein
136	Dr. Roosen
137	Voith Getriebe
138–139	Ullstein
140–141	AEG
142–143	WT
144	Voith Getriebe (LHW)
145	AEG
146	Vögele
147	Schreiber (Schneider)
148	VM
149	Siemens-Institut
150	Schwanck (Kallmünzer)
151	Siemens
152	Buchholz (Siemens)
153	Maedel
154	Siemens
155–157	VM (Görlitz)
158	DB (Dr. Seifert)
159–160	VM
161–162	Worm
163–164	VM
165	Lindemann
166	v. Kirchbach
167	VM
168	Lindemann
169–176	VM (Hubert)
177	Dr. Schlosser
178	Dr. Ewald (Hubert)
179	Worm (Hubert)
180	Dr. Schlosser
181	Lindemann
182	VM (Hubert)
183	Dr. Schlosser
184–185	Ulma (Hubert)
186	VM (Hubert)
187–189	Worm
190	VM
191–192	Lindemann
193	Buchholz
194	Worm
195	Worm (Hubert)
196–197	VM
198	MAN Gustavsburg
199–200	v. Kirchbach
201–202	Dr. Schlosser
203	Maedel
204–206	Siemens
207	Dr. Schlosser
208	v. Kirchbach
209	VM
210	Kruckenberg
211	Rheinstahl (Kreutzer)
212	Worm
213	VM
214–215	Worm
216	Mündler
217	Düring
218–220	Worm
221	VM
222–223	Worm
224–225	VM
226–227	Worm
228–231	VM
232	Kruckenberg
233–234	VM
235	Worm
236–237	VM
238–239	Worm
240–241	VM
242	Worm
243	Vögele
244	Worm
245	WT
246	Vögele
247	Bergmann
248	Buchholz (Maybach)
249–250	Ullstein
251	Webers Illustrierte
252	MAN Gustavsburg
253	Maixner
254	Worm
255	VM (Hubert)
256	Voith Getriebe
257–260	VM
261–266	Göllner
267	Worm

268	Maixner	361	Vögele	420	VM (Hubert)
269	Rheinstahl (Henschel)	362–366	VM	421	Siemens
270–275	WT	367–368	Köditz	422	VM (Hubert)
276	MAN Gustavsburg)	369	VM	423	Göllner
277	Worm (Hubert)	370	Bergmann	424–426	VM
278	WT	371	Ullstein	427–429	WT
279–280	Vögele	372	Dr. Schlosser	430	VM
281	Krafft/Grünwald	373	MAN Gustavsburg	431	WT
282–283	Vögele	374–375	Köditz	432–434	Braitmaier
284	MAN Gustavsberg	376	VM	435	Buchholz (Bachmann)
285	WT	377	MAN Gustavsberg	436	Braitmaier
286–287	VM	378	MAN Nürnberg	437–439	Buchholz
288–296	Göllner	379–380	Dr. Giesl	440	WT
297–299	Buchholz	381	DB (Steidl)	441–442	Braitmaier (Esslingen)
300–303	WT	382	VM	443	Buchholz
304	DB (Schoppach)	383	Schwanck (Kallmünzer)	444	Archiv Braitmaier (Ulmer)
305–309	WT	384	Ulma (Maey)	445–446	Buchholz
310	Göllner	385	Schwanck	447	Buchholz (Ulmer)
311–314	WT	386	Dr. Schlosser	448	AEG
315–319	Niederstraßer	387	Ullstein	449	Buchholz (Bachmann)
320–327	WT	388	Troche (Freimann)	450	Dr. Feißel
328	Rheinstahl (Henschel)	389	MAN Gustavsburg	451	VM
329	Worm	390	Troche (Freimann)	452	v. Kirchbach
330	Dr. Ewald	391–393	WT	453–455	Dr. Weyer
331	Rheinstahl (Henschel)	394–395	VM (Heimhuber)	456–457	Buchholz
332	Dr. Roosen (Kreutzer)	396	VM	458	VM (MAN)
333–334	Dr. Ewald (Henschel)	397	Dr. Schlosser	459	Buchholz (Ulmer)
335–336	Rheinstahl (Henschel)	398	Siemens	460	DB (Bachmann)
337	Buchholz (DRB)	399	VM	461–482	Archiv Braitmaier (Ulmer)
338	VM	400–401	AEG	483	WT
339–342	WT	402	Worm	484	Buchholz
343	Pierson	403	Buchholz (DRB)	485–486	WT
344	VM	404	Ullstein	487	VM
345–346	WT	405	Mündler	488–489	Bundesarchiv
347–351	Dr. Feißel	406	VM	490–491	Archiv Braitmaier (Ulmer)
352	VM	407–408	WT	492	Vögele
353–354	Worm	409–410	VM	493–498	Maedel
355–356	Dr. Feißel	411–413	WT	499	Ullstein
357–359	VM	414	Dr. Feißel	500	Göllner
360	Bergmann	415–419	WT	501–502	WT

Inhalt